“读原著·学原文·悟原理”丛书

DUYUANZHU XUEYUANWEN WUYUANLI

马克思特里尔时期文本
这样学

孙熙国　张　梧 | 主编

金德楠 | 著

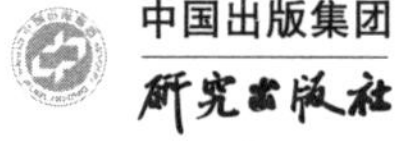

中国出版集团
研究出版社

图书在版编目 (CIP) 数据

马克思特里尔时期文本这样学 / 金德楠著. -- 北京:
研究出版社, 2022.4
ISBN 978-7-5199-1179-9

Ⅰ. ①马… Ⅱ. ①金… Ⅲ. ①马克思著作研究 Ⅳ.
①A811.21

中国版本图书馆CIP数据核字(2022)第055458号

出 品 人：赵卜慧
出版统筹：张高里　丁　波
责任编辑：朱唯唯

马克思特里尔时期文本这样学
MAKESI TELIER SHIQI WENBEN ZHEYANGXUE
金德楠　著
研究出版社 出版发行
（100006　北京市东城区灯市口大街 100 号华腾商务楼）
北京中科印刷有限公司印刷　新华书店经销
2022 年 4 月第 1 版　2023 年 1 月第 3 次印刷
开本：787 毫米 ×1092 毫米　1/32　印张：3.75
字数：49 千字
ISBN 978-7-5199-1179-9　定价：28.00 元
电话（010）64217619　64217612（发行部）

“读原著·学原文·悟原理”
丛书编委会

编委会主任

孙熙国，北京大学马克思主义学院教授、博导，北京大学习近平新时代中国特色社会主义思想研究院常务副院长，北京大学学位委员会马克思主义理论学科分会主席，国家“万人计划”教学名师，中央马克思主义理论研究和建设工程课题组首席专家，国务院学位委员会马克思主义理论学科评议组成员，教育部马克思主义理论类专业教学指导委员会副主任委员。兼任国际易学联合会会长，中国历史唯物主义学会副会长，北京市高教学会马克思主义原理研究会会长。

在《哲学研究》等刊物发表学术论文百余篇，著有《先秦哲学的意蕴》《马克思主义基本原理前沿问题研究》（第一作者）等，主编高校哲学专业统一使用重点教材《中国哲学史》，主编全国高中生统用教科书《思想政治·生活与哲学》《思想政治·哲学与文化》，获首届全国优秀教材一等奖。主持“马藏早期文献与马克思主义在中国的早期传播”“马克思主义基本原理的学科对象与理论体系”等国家哲学社会科学重大项目和重点项目。

孙蚌珠，经济学博士，教授。现任北京大学马克思主义学院党委书记、习近平新时代中国特色社会主义研究院副院长。教育部高等学校思想政治理论课教学指导委员会委员总教指委主任委员、“形势与政策”和“当代世界经济和政治”分指导委员会主任委员。马克思主义研究和建设工程首席专家，国家义务教育教科书“道德与法治”编委会主任，国家统编高中思想政治教材《经济与社会》主编、国家中等职业学校思想政治教材编委会主任。中国政治经济学学会副会长、中国《资本论》研究会副会长。主要从事政治经济学、中国特色社会主义经济理论与实践研究，获得过北京市科学技术进步二等奖，是全国首届百名优秀“两课”教师、全国思想政治理论课影响力标兵人物、北京市高等学校教师名师、国家“万人计划”教学名师、享受国务院政府特殊津贴专家。

孙代尧，北京大学法学学士、硕士和博士。现任北京大学博雅特聘教授、社会科学学部学术委员和马克思主义学院学术委员会主任，《北京大学学报（哲学社会科学版）》主编。曾任马克思主义学院副院长、学位委员会主席、教育部高校思政课教学指导委员会委员。

先后入选国务院政府特殊津贴专家、中宣部全国文化名家暨“四个一批”人才、国家“万人计划”第一批哲学社会科学领军人才；担任中央马克思主义理论研究和建设工程专家、中国科学社会主义学会副会长等。

主要从事马克思主义理论、社会主义历史和理论等领域的教学和研究。担任教育部哲学社会科学研究重大课题攻关项目、国家社科基金重大项目首席专家。科研成果曾获北京市哲学社会科学优秀成果一等奖等多个奖项。

张梧，哲学博士。现为北京大学哲学系助理教授、研究员、博士生导师，中国人学学会秘书长、北京大学中国特色社会主义理论体系研究中心研究员、济宁干部政德学院“尼山学者”。主要研究方向是马克思主义哲学史、社会发展理论等。曾著有《马克思恩格斯〈德意志意识形态〉研究读本》《社会发展的全球审视》等学术专著，在《哲学研究》等核心期刊发表论文30余篇。

代序

马克思主义可以这样学

马克思主义应该怎样学？马克思主义经典著作应该怎样读？北京大学马克思主义学院以博士生的“马克思主义经典著作研读”课为抓手，进行了积极的探索，走出了一条“读原著、学原文、悟原理”的新路子，逐步形成了马克思主义理论专业人才培养的“北大模式”。

北京大学具有学习、研究和传播马克思主义的光荣传统。北京大学是中国马克思主义的发祥地，是中国共产党最早的活动基地，是中国马克思主义理论教育的诞生地。1920年，李大钊在北大开设了“唯物史观”“工人的国际运动与社会主义的将来”“社会主义与社会运动”等马克思主义理论课程和专题讲座，带领学生阅读马克思主义经典著作，公开讲授和宣传马克思主义。李大钊在北大所做的这些工作，与拉布里奥拉在意大利罗马大学、布哈林在苏俄红色教授学院、河上肇在日本京都帝国大学进行的马克思主义理论教学和研究工作，共同开启了马克思主义理论进入高校课堂的先河。

一百多年过去了，一代代的北大人始终把学习研究和宣传马克思主义作为自己的崇高使命，始终把马克思主义经典著作的学习研读作为教育教学的一项重要内容。2014 年 5 月 4 日，习近平在北京大学师生座谈会上的讲话中指出，北京大学是新文化运动的中心和五四运动的策源地，是这段光荣历史的见证者。长期以来，北京大学广大师生始终与祖国和人民共命运、与时代和社会同前进，在各条战线上为我国革命、建设、改革事业作出了重要贡献。2018 年 5 月 2 日，习近平总书记在北京大学考察时指出，北京大学是中国最早传播和研究马克思主义的地方。中国共产党的主要创始人和一些早期著名活动家，正是在北大工作或学习期间开始阅读马克思主义著作、传播马克思主义的，并推动了中国共产党的建立。这是北大的骄傲，也是北大的光荣。由此我们可以看到，北大具有学习研究和传播马克思主义的光荣传统，具有与祖国和人民共命运、与时代和社会同前进的光荣传统，具有爱国、进步、民主、科学的光荣传统。因此，如果要讲北大传统，首先就是马克思主义的传统；如果要讲北大精神，首先就是马克思主义的精神。北大学习研究和传播马克思主义的精神和传统始终与马克思主义经典著作的研读和学习紧紧结合在一起。

2018年5月2日，习近平总书记视察北大马克思主义学院时指出："高校马克思主义学院就是要坚持'马院姓马，在马言马'的鲜明导向和办学原则，为巩固马克思主义在意识形态领域的指导地位，推动马克思主义进校园、进课堂、进学生头脑，发挥应有作用。"在习近平总书记重要讲话精神的指导下，北京大学马克思主义学院逐步确立了以"埋首经典，关注现实"为基本理念、以马克思主义经典文献学习研读为重要内容的马克思主义卓越人才培养的"北大模式"。其中加强和完善"马克思主义经典著作研读"课程，并对研究生、特别是博士研究生进行马克思主义经典著作的中期考核成为北大博士生培养的一个重要环节。

北京大学马克思主义学院的学生究竟怎样学习马克思主义基本原理？怎样阅读马克思主义经典著作呢？

习近平总书记指出："学习理论最有效的办法是

读原著、学原文、悟原理。”要学好马克思主义理论，就必须要读马克思主义经典作家的原著，学马克思主义经典作家的原文，悟马克思主义基本原理。一句话，就是必须要学好马克思主义经典著作。“马克思主义经典著作”这门课一直是我国高校马克思主义学院研究生的核心课程。北大给硕士生开设的马克思主义经典著作课叫“马克思主义经典著作导读”，给博士生开设的马克思主义经典著作课叫“马克思主义经典著作研读”。我负责博士生的“马克思主义经典著作研读”课始自2010年秋季。一开始是我一个人讲，后来孙蚌珠、孙代尧老师加入进来，再后来马克思主义基本原理所、马克思主义发展史所的老师们也陆续加入到了本课程的教学和研究工作中。博士生的“马克思主义经典著作研读”课程的学习时间是一年，学习阅读的文本有30多篇。北大学习研读经典文本的基本方式是在学习某一文本之前，先由学生来做文献综述，通过文献综述把这一文本的文献概况、主要内容、学界争论的焦点问题、学者研究的基本方法和形成的基本范式梳理概括出来。呈现给读者的这套《读原著、学原文、悟原理》丛书，就是北京大学马克思主义学院2016级博士生在“马克思主义经典著作研读”课程学习过程中，在授课老师指导下围绕所学的马克思恩格斯经典文本完成的成果结集。授课教师从2016级博士生的研读成果中精选出了优秀的研究成果，经反复修改完善，以“读原著、学原文、悟原理”作为丛书书名出版。

本丛书收录了从马克思高中毕业撰写的三篇作文到恩格斯晚年撰写的《路德维希·费尔巴哈和德国古典哲学的终结》等代表性著述20余篇。这20篇著作是北京大学马克思主义学院马克思主义理论一级学科各专业和政治经济学、科学社会主义与国际共产主义运动专业博士生必修课“马克思主义经典著作研读”的必学书目。丛书作者对这20余篇著作的研究状况和研究内容的梳理、概括和总结，基本上反映了北大“马克思主义经典著作研读”课程的主要内容，展现了北大马克思主义学院博士生学习研读马克思主义经典著作的基本情况，是北大博士生阅读马克思主义经典文本、学习马克思主义基本原理的一个缩影。在某种意义上说，这些成果体现了北大马克思主义学院博士生学习马克思主义经典著作的基本方式。因此，我们可以自豪地说，马克思主义经典文本可以“这样读”，马克思主义基本原理可以“这样学”。

本书对马克思恩格斯每一时期文本的介绍和阐释主要是围绕以下四个方面的内容展开的。一是对马克思恩格斯这一文本的写作、出版和传播等主要情况的介绍和说明，二是对这一文本的主要内容的介绍和提炼，三是对国内外学者关于这一文本研究的基本方法、形成的基本范式和切入点的概括总结，四是对国内外学者在这一文本研究过程中所涉及到的一些具有争议性的问题或焦点问题的梳理和辨析。在每一章的后面，作者又较为详细地列出了该文本研究的主要参考文献，也就是关于每一个文本的代表性研究成果。本书力图从以上四个方面入手，尽可能客观全面地展示国内外学者关于马克思恩格斯这些经典文本的研究状况、研究结论和研究方法，以期对马克思主义学院师生学习、研读马克思主义经典著作提供参考和借鉴。

马克思主义理论是我们做好一切工作的看家本领，也是领导干部必须普遍掌握的工作制胜的看家本领。我们期望这套20本的“读原著、学原文、悟原理”丛书能够在这方面给大家提供一些积极的启示和有益的帮助。

孙熙国

2022.2

目 录 CONTENTS

近年来，我国学术界对马克思主义经典文本与马克思本人思想发展演变脉络的研究工作取得了长足进展，研究幅度不断拓展、研究议题更加精细、研究方式更加规范。在回到马克思的著作文本，力求避免教条主义解说马克思丰富且复杂的思想体系的趋势下，学者们开始关注马克思特里尔时期的主要著作。其中，最能代表马克思当时政治思想状况和人生价值指向的是三篇中学作文和两篇诗作。三篇中学作文分别为《根据〈约翰福音〉第 15 章第 1 至 14 节论信徒同基督结合为一体，这种结合的原因和实质，它的绝对必要性和作用》《青年在选择职业时的考虑》《奥古斯都的元首政治应不应当算是罗马国家较幸福的时代？》。两篇诗作分别为《人生》和《查理大帝》。这三篇中学作文和两篇诗作，不仅从多个侧面反映了马克思特里尔时期的思想状况，构成了马克思人生理想和社会理想的初步表达，而且蕴含在三篇中学作文和两篇诗作之中的一些思想要素和基本观点也展示出了马克思思想的最初原点，成为贯穿马克思一生的思想基因。作为马克思著作体系的重要组成部分，特里尔时期著作所承载的基本思想是马克思整个思想历程的逻辑起点，也是学术界研究马克思思想形成与发展过程所不可回避的重要资料。通过对马克思特里尔时期主要著作所承载的思想体系的挖掘与研究，能够更加清晰地呈现马克思思想发展演进的基本脉络，有助于我们全面准确地把握马克思思想的精髓。为此，我们需要回到特里尔时期马克思著作的文本中去寻找马克思的思想基因和马克思主义的思想原点。

一、文献写作概况

从 1830 年到 1835 年的六年中，马克思在自己的故乡特里尔市弗里德利希·威廉中学读书。目前，保留下来的这一时期马克思的作品包含了宗教作文、德语作文、拉丁语作文、诗作《人生》、诗作《查理大帝》、高中毕业班功课表、拉丁语即席翻译、希腊语翻译、法语翻译、数学试卷、中学毕业证书正式文本与中学毕业证书原始副本共有 12 篇文献。虽然，特里尔时期马克思正处于青少年阶段，留存下来的文献材料仅有上面所言及的 12 篇，也鲜有论者对此做过全面而系统的梳理和分析，但是，这些文献大致勾勒出了当时一个少年思考者的运思背景、人生期待和历史视点，对学术界理解马克思的思想起源与发展也具有十分重要的作用，有如聂锦芳教授所言："如果要是联系马克思一生思想的发展，探寻那些深刻思考的最初源头，就不能忽视这些材料了。"[①] 在这 12 篇文献中，写于 1835 年 8 月 10 日的宗教作文《根据〈约翰福音〉第 15 章第 1 至 14 节论信徒同基督结合为一体，这种结合的原因和实质，它的绝对必要性和作用》与写于 1835 年 8 月 12 日的德语作文《青年在选择职业时的考虑》，以及写于 1835 年 8 月 15 日的拉丁语作文《奥古斯都的元首政治应不应当算是罗马国家较幸福的时代？》三篇手写的中学作文，均为马克思在特里尔中学毕业考试时的答卷，是能够反映这一时期马克思的人生理想与社会理想的代表性著作。此外，写于 1833 年的《人生》和《查理大帝》两篇诗作，也是当前学术界研究特里尔时期马克思思想的重要资料。

① 聂锦芳：《神性背景下的人生向往与历史观照——马克思中学文献解读》，载《求是学刊》2004 年第 2 期。

中学作文的评语大致反映了特里尔时期马克思著作的写作状况。从总体上看，马克思手写的三篇中学作文，都取得了优秀的成绩，其中德语作文《青年在选择职业时的考虑》尤其获得了指导老师的好评，是班里的优秀作文。马克思的历史课和哲学课教师——当时的校长维滕巴赫对马克思德语作文《青年在选择职业时的考虑》的总评语是："相当好。文章的特点是思想丰富，布局合理，条理分明，但是一般来说作者在这里也犯了他常犯的错误，过分追求罕见的形象化的表达；因此，在许多加有着重号的地方，在个别措辞以及句子的连接上，叙述时就缺乏必要的鲜明性和确定性，往往还缺乏准确性。"[①] 宗教作文《根据〈约翰福音〉第15章第1至14节论信徒同基督结合为一体，这种结合的原因和实质，它的绝对必要性和作用》的成绩相当于中等水平，在班里居第五位。教员居佩尔的评语是："思想丰富，叙述精彩有力，值得赞许，不过文内所涉及的一致的实质并不明确，一致的原因也只是从一个方面谈到，而它的必要性论述得也

① 《马克思恩格斯全集》第1卷，人民出版社2002年版，第1041页。

不够充分。”[①] 拉丁语作文《奥古斯都的元首政治应不应当算是罗马国家较幸福的时代?》的评语是:“除了上述我们加上评语的地方特别是结尾处的几个错误以外，这篇作文不论在素材的处理方面，在显示出来的历史知识方面，还是力求以通顺的拉丁语来表达思想方面，总的说来都很不错。但书写太糟糕。”[②] 通过对马克思中学作文的评分和评价来看，当时还是有很多他的同学也同样很优秀，获得了好评，不过马克思是毕业班中年龄最小的一个，能取得老师们如此评价，已经显示出马克思较好的文字修养和较强的思想能力。虽然马克思本人并没有将中学作文保存下来，在后来马克思的著作中也鲜有提及中学作文，但是这三篇中学作文却反映了特里尔时期马克思的整个思想面貌，其中的一些理论观点和价值观要素也对后来马克思的思想发展和价值追求产生了深刻影响。

两篇诗作大致反映了特里尔时期马克思对人生和历史的思考。诗作《人生》为7段28行短诗，表达了马克思对时光流逝、生死转换、事业追

① 《马克思恩格斯全集》第 1 卷，人民出版社 2002 年版，第 1040 页。
② 《马克思恩格斯全集》第 1 卷，人民出版社 2002 年版，第 1041 页。

索、现实困顿、夙愿难遂、命运多舛、意义空泛等永恒的人生议题的困惑和感喟。虽然那时的马克思还谈不上对人生有什么实际的经验和体味，但是他阅读了大量文学作品和历史书籍，书中展示的历史背景、人生命运和个体境遇，构成了他写作的原始素材和情感来源。诗作《查理大帝》为9段36行短诗，称颂在欧洲古代艺术和文明被“野蛮人无情的摧毁”的情况下，查理大帝“让一切艺术重放光芒”和“他发挥教育的神奇力量”，使“可靠的法律成了安全的保障”[①]，展现了特里尔时期的马克思从文明和艺术出发观察历史和评价历史人物的视角和标准。

特里尔时期马克思所处的社会环境、学校环境和家庭环境构成了中学作文和两篇诗作的写作背景。就社会环境而言，马克思受到了浸润在特里尔市的言论自由和立宪自由的社会氛围的影响。一方面，“特里尔是德国最古老的城市之一，基督教思想在这里占据着统治地位。在中世纪，该城市作为诸侯——大主教驻所，边界曾延伸到梅斯、土伦和

① 聂锦芳:《神性背景下的人生向往与历史观照——马克思中学文献解读》，载《求是学刊》2004年第2期。

凡尔登，据说它所拥有的教堂数量比德国任何一个与它大小相当的城市所拥有的都多。……特里尔是德国最早出现法国空想社会主义思想的城市之一。圣西门主义在特里尔十分流行，路德维西·伽尔曾在这里宣传傅立叶主义”[①]。另一方面，由于特里尔市位于德国与法国的边界地带，法国军队也曾于1815年短期占领过特里尔，因此，特里尔深受法国大革命和启蒙文化思潮的影响，在资产者中出现了自由主义反对派和民主主义反对派。

就学校环境而言，马克思受到了学校盛行的自由主义启蒙精神的熏陶，而且还受到了几位具有民主主义思想认知的老师的影响。在法国学者奥古斯特·科尔纽所著的《马克思恩格斯传》中对此有过详细的论述：“当时特里尔中学的启蒙精神由文采儿大主教和他的友人修道院院长达尔伯格树立起来，他们都是自由主义学说的信徒，曾试图把信仰和理性调和起来，对学校进行了改组。此外，在马克思求学的年代，还有一些优秀的教师。其中对马克思影响最大的老师是校长维滕巴赫，他是马克思

① ［英］戴维·麦克莱伦：《马克思传》，王珍译，中国人民大学出版社2005年版，第18—19页。

的历史老师，也是马克思家庭的朋友。他是一个坚定的康德信徒，尽力想使他的学校的教学建立在理性主义的原则上。”[①]关于马克思中学时代校长兼哲学和历史教师维滕巴赫对马克思世界观、历史观和人生观形成的重要影响，国内一些学者也曾有过研究，譬如，张一兵先生曾指出，“无论在哲学上、宗教观上还是政治观上，维滕巴赫的取向与老马克思（老马克思即亨里希·马克思，是卡尔·马克思的父亲——引者注）的取向都是一致的”[②]。此外，不容忽视的是，在特里尔弗里德利希·威廉中学6年学习期间，宗教读本也一直是贯穿于马克思所修《语言》《历史》两大课程中极为重要的内容。

就家庭环境而言，马克思中学时代深受其父亲亨里希·马克思和他未来的岳父冯·威斯特华伦的影响。马克思的父亲虽然是犹太人，但是，他从小就没有受到严格的、古老的犹太教的影响，很早就割断了与家庭的联系，所以他最终皈依基督教而不是犹太教。亨里希·马克思十分欣赏伏尔泰、卢梭

① ［法］奥古斯特·科尔纽：《马克思恩格斯传》第1卷，刘丕坤等译，生活·读书·新知三联书店1963年版，第60页。

② 张一兵：《马克思哲学的历史原像》，人民出版社2009年版，第55页。

和莱辛等人的观点，在法国启蒙思想的影响濡染下，马克思父亲的宗教观趋于自然神论，而这深深影响着马克思。此外，马克思的未来岳父冯·威斯特华伦则给马克思灌输了对浪漫主义学派的热情，除了具有良好的文化素养，他还热心于进步的政治思想，并激发了马克思对法国空想社会主义者圣西门的人格和著作的兴趣，当然，这种兴趣也很明显地体现在了马克思中学作文的文风上面。[①]对此，德国学者弗·梅林也曾指出，马克思的父亲亨里希·马克思和他未来的岳父冯·威斯特华伦对少年马克思形成质朴的自然神论宗教观和温和的自由主义政治观具有十分重要的影响，“亨里希·马克思曾经获得使他完全解脱一切犹太偏见的那种人道主义的素养，而且把这种解脱传授给他的儿子卡尔作为一种有价值的遗产”[②]。由此可见，少年马克思在家庭生活中受到了神学教育与宗教氛围的影响。诚然，有很多论著都注意到了作为律师的父亲亨里

① ［英］戴维·麦克莱伦：《马克思传》，王珍译，中国人民大学出版社2005年版，第28页。

② ［德］梅林：《马克思传》，罗稷南译，生活·读书·新知三联书店2012年版，第31页。

希·马克思对马克思成长的重大影响，称其父为“启蒙主义者”“理性主义者”，但需要指出的是，这里所谓的“启蒙主义”“理性主义”严格说来，并不是拒斥神学、走向无神论或反宗教，而是改宗德国新教，有如法国学者奥古斯特·科尔纽所言，“使他摆脱了偏狭的犹太正统宗教的这种理性主义，是他改宗与他志趣相近的开明新教的部分原因”[①]。事实上，在马克思出生前两年的1816年父亲改信路德教，1824年父亲又为包括马克思在内的7个孩子做了洗礼，1825年母亲也改信基督教，1834年3月23日马克思受坚信礼。[②]由此看来，说马克思是在具有神性背景或氛围的家庭环境中成长起来的，应该是一个恰当的指认。[③]

总之，从社会环境、家庭环境和教育环境看，中学时代的马克思的思想认知和价值取向，不仅受到了启蒙运动时期的理性主义和民主主义思想的影

---

① ［法］奥古斯特·科尔纽：《马克思恩格斯传》第1卷，刘丕坤等译，生活·读书·新知三联书店1963年版，第53页。

② ［俄］弗·阿多拉茨基：《马克思年表（1818—1883）》，张惠卿、李亚卿译，人民出版社1982年版，第1—3页。

③ 聂锦芳：《神性背景下的人生向往与历史观照——马克思中学文献解读》，载《求是学刊》2004年第2期。

响，而且接受了较为系统的正规的宗教教育，受到了宗教自由主义和宗教理性主义的熏陶。他不仅对文学、历史产生了一贯而专注的热情，而且开始倾向于用批判的眼光来观察历史、认识社会。这形成了马克思最初的精神方向和思想基因。

二、文献内容概要

马克思特里尔时期的著作能够直接反映马克思人生理想、社会理想以及马克思主义理论要素的文献，主要是三篇中学作文和两篇诗作。其中，马克思的三篇中学作文分别是宗教作文《根据〈约翰福音〉第 15 章第 1 至 14 节论信徒同基督结合为一体，这种结合的原因和实质，它的绝对必要性和作用》、德语作文《青年在选择职业时的考虑》和拉丁语作文《奥古斯都的元首政治应不应当算是罗马国家较幸福的时代？》。这组文章于 1925 年首次发表在莱比锡《社会主义和工人运动历史文库》第 11 卷，现在收入 MEGA 第 2 版（历史考证版第 2 版）第一部分第 2 卷。两篇诗作分别为《人生》《查理大帝》，最早保存于马克思的姐姐索菲娅的纪念册和笔记本中，现在被收录于中文版《马克思恩格斯全集》第1卷，人民出版社1995年版。

（一）宗教作文内容提要

宗教作文《根据〈约翰福音〉第15章第1至14节论信徒同基督结合为一体，这种结合的原因和实质，它的绝对必要性和作用》，除去马克思引用的《圣经》原文，总计26个自然段，主要是根据《约翰福音》第15章第1至14节的有关论述，论述信徒与基督结合为一体的原因、实质、必要性、作用等问题。其内容主要展现在三个方面：

第一，马克思在宗教作文中肯定了信徒与基督结合为一体的绝对必要性，并且分别从历史、人性、基督之道三大层面逐步递进的视角论述了这种结合的绝对必要性。正如宗教作文所述，“我们已经看到，各民族的历史和对各个人的考察都证明同基督结合为一体的必要性”[①]。此外，马克思认为信徒同基督结合为一体之必要性的最可靠的证据，就在于基督本人的道，而这个“道”展现为基督把自己比作葡萄藤同时把信徒比作枝蔓的美妙比喻。在此意义上，马克思指出：“我们的心、理性、历史、

① 《马克思恩格斯全集》第1卷，人民出版社1995年版，第450页。

基督的道都响亮而令人信服地告诉我们，同基督结合为一体是绝对必要的，离开基督，我们就不能够达到自己的目的，离开基督，我们就会被上帝所抛弃，只有基督才能够拯救我们。”① 与此同时，马克思在宗教作文中还坚决反对宗教虔诚主义者对上帝应该绝对服从的主张，在马克思看来，上帝只是最高的伦理实体，是人类善良、公正、智慧的象征。以此逻辑，他坚持从历史的角度对这个问题进行分析，并最终得出结论：任何民族最初都不可能摆脱迷信，所以古代民族及其哲人都渴望神的指引，即通过神的引导去拯救人们作恶的本性、不坚定的理性以及堕落的心。

第二，马克思在宗教作文中认为信徒同基督结合的目的在于实现人的本质，提升人的德性。在宗教作文中，马克思首先指出信徒同基督结合为一体的最伟大的作用之一，就是使信徒获得崇高的德行，因为信徒对基督的爱也不是徒劳的，“这种爱不仅使我们对基督满怀最纯洁的崇敬和爱戴，而且使我们遵从他的命令，彼此为对方做出牺牲，做一个有德

---

① 《马克思恩格斯全集》第 1 卷，人民出版社 1995 年版，第 451 页。

行的人，但只是处于对他的爱而作为一个有德行的人”[①]。同时，马克思强调信徒同基督能够结合的根本原因在于人的本质，因为人永远是力图用不断提高道德的办法使自己上升到神的地位，信徒“同基督结合为一体可使人内心变得高尚，在苦难中得到安慰，有镇定的信心和一颗不是出于爱好虚荣，也不是出于渴求名望，而只是为了基督而向博爱和一切高尚而伟大的事物敞开的心”[②]。最后，马克思断言一个人一旦具有这种带有神性的德行就能够应对人生的各种打击，从而获得人生的幸福，正如马克思所言：“一个人一旦达到这种德行，这样同基督结合为一体，他就将平静而沉着地迎接命运的打击，勇敢地抗御各种激情的风暴，无畏地忍受恶的盛怒，因为谁能征服他，谁能夺走他的救世主呢？”[③]

第三，马克思所关注的不仅是信徒同基督具有一致性的论证，而且是人们对美德追求的热情和对真理的渴望。马克思在宗教作文中把上帝看作人类道德理想的化身，把宗教看作个人道德完善的手段和途径，把信仰宗教当成道德进步的巨大动力。这

① 《马克思恩格斯全集》第 1 卷，人民出版社 1995 年版，第 452 页。
②③ 《马克思恩格斯全集》第 1 卷，人民出版社 1995 年版，第 453 页。

种认识虽然承认教徒同基督教的一致性是必要的，但却是与当时绝大多数德国人的宗教信仰——虔诚主义有明显的不同。这种不同具有特殊的历史背景，它基于马克思生活的历史时代和相对自由开明的家庭。

（二）德语作文内容提要

德语作文《青年在选择职业时的考虑》，是马克思中学毕业时面对升学和就业问题的思考。在这篇德语作文中，马克思虽然没有考虑选择哪种具体职业，却把这个问题提高到对社会的认识和对生活的态度上加以回答，并由此表达了为人类服务的崇高理想。具体而言，德语作文有如下三个内容要点：

第一，马克思在德语作文开篇即指出自由对职业选择的意义。他在德语作文中直言不讳，“自然本身给动物规定了它应该遵循的活动范围，动物也就安分地在这个范围内活动，而不试图越出这个范围，甚至不考虑有其他范围存在。神也给人指定了共同的目标——使人类和他自己趋于高尚，但是，神要人自己去寻找可以达到这个目标的手段；神让人在社会上选择一个最适合于他、最能使他和社会变得高尚的地位”[①]。进言之，在马克思看来，选择职业就是选择一种生活，“如果我们的生活条件容许我们选择任何一种职业，那么我们就可以选择一种使我们最有尊严的职业”[②]。这里所谓的“尊严”，就是最能使人高尚、使他的活动和他的一切努力具有更加崇高品质的东西，是使他无可非议、受众人钦佩并高出于众人之上的东西。显然，能给人以这种尊严的只有这样的职业，就是“在从事这种职业时我们不是作为奴隶般的工具，而是在自己的领域内独立地进行创造”[③]。如果我们在职业选择时被热情欺骗或被幻想蒙蔽，这种情形下的职业选择就不再是我们自己的自由选择，而是“由偶然机会和假象去决定了”。

第二，马克思在德语作文中分析了青年选择职业时要考虑的三种现实因素。一是要排除外在精神的干扰，要体现个人的意志。马克思在德语作文中多次谈到神：“神也给人指定了共同的目标”“神总是轻声而坚定地作启示”。但是，马克思随之又把神

---

① 《马克思恩格斯全集》第 1 卷，人民出版社 1995 年版，第 455 页。

② 《马克思恩格斯全集》第 1 卷，人民出版社 1995 年版，第 458 页。

③ 《马克思恩格斯全集》第 1 卷，人民出版社 1995 年版，第 458 页。

的力量移于人的身上，向神的权威提出质疑："神要人自己去寻找可以达到共同目的的手段""我们认为是灵感的东西可能须臾而生，同样可能须臾而逝""我们的热情是不是一种迷误？我们认为是神的召唤的东西是不是一种自我欺骗？"[①] 二是要警惕并排除内心的幻想，避免虚荣心作祟。马克思认为青年在选择职业时应当认真地考虑：所选择的职业是不是真正使我们受到鼓舞？特别是当我们自以为寻找到一个伟大的职业的时候，"我们的幻想蓦然迸发，我们的感情激动起来，我们的眼前浮想联翩，我们狂热地追求我们以为是神本身给我们指出的目标；但是，我们梦寐以求的东西很快就使我们厌恶"。[②] 因为，这只是由伟大的东西所引起的虚荣心，"而虚荣心容易给人以鼓舞或者我们觉得是鼓舞的东西""被名利弄得鬼迷心窍的人，理智已经无法支配他，于是他一头栽进那不可抗拒的欲念驱使他去的地方""不仅虚荣心能够引起对某种职业的突然的热情，而且我们也许会用自己的幻想把这种职业美化，把它美化成生活所能提供的至高无上的东西。我们

① 《马克思恩格斯全集》第 1 卷，人民出版社 1995 年版，第 456 页。
② 《马克思恩格斯全集》第 1 卷，人民出版社 1995 年版，第 458 页。

没有仔细分析它，没有衡量它的全部分量，即它加在我们肩上的重大责任”。[①]三是要考虑身体、体质的客观条件，要锻炼强壮的体魄和健康的心灵。马克思认为，如果我们的职业超越我们体质的限制，“我们就是冒险把大厦建筑在松软的废墟上，我们的一生也就变成一场精神原则和肉体原则之间的不幸的斗争”，一旦我们选择了力不胜任的职业，我们“不能持久地工作，而且工作起来也很少乐趣”，因此“我们决不能把它做好，我们很快就会自愧无能”，由此产生的必然结果就是妄自菲薄，而妄自菲薄会啃噬我们的心灵，毒害生命的血液，给人生注入厌世和绝望的情绪。[②]显然，在马克思那里，体质不仅包括人的生理状态，还包括人的情绪和能力。如果我们错误地估计了自己的能力，自以为能够胜任经过较为仔细地考虑而选定的职业，但是其实我们胜任不了，那么这种错误将使我们受到惩罚。

第三，在德语作文中，“人类的幸福”是马克思选择职业的目标和理想，为人类幸福而奋斗也成为标识马克思伟大而光荣的一生的崇高价值。首先，

---

① 《马克思恩格斯全集》第 1 卷，人民出版社 1995 年版，第 456 页。

② 《马克思恩格斯全集》第 1 卷，人民出版社 1995 年版，第 456—457 页。

马克思在德语作文中把寻找职业选择根据的目光投向了历史、经验与宗教，“历史把那些为共同目标工作因而自己变得高尚的人称为最伟大的人物；经验赞美那些为大多数人带来幸福的人是最幸福的人；宗教本身也教诲我们，人人敬仰的典范，就曾为人类而牺牲自己”[①]。其次，马克思给予了在历史、经验与宗教中的伟大人物更深刻的领会与理解，并把他们为之努力的“人类的幸福”这一理想变成了自己整个职业、事业乃至生命的动力。恰如马克思在德语作文中所言，“如果我们选择了最能为人类而工作的职业，那么，重担就不能把我们压倒，因为这是为大家作出的牺牲；那时我们所享受的就不是可怜的、有限的、自私的乐趣，我们的幸福将属于千百万人，我们的事业将悄然无声地存在下去，但是它会永远发挥作用，而面对我们的骨灰，高尚的人们将洒下热泪”[②]。最后，马克思把青年职业选择的目标设定为自身完美与人类幸福的结合，实现自我价值与社会价值的统一。正如马克思所言，“在选择职业时，我们应该遵循的主要指针是人类

① 《马克思恩格斯全集》第1卷，人民出版社1995年版，第459页。

② 《马克思恩格斯全集》第1卷，人民出版社1995年版，第459—460页。

的幸福和我们自身的完美。不应认为，这两种利益会彼此敌对、互相冲突，一种利益必定消灭另一种利益；相反，人的本性是这样的：人只有为同时代人的完美、为他们的幸福而工作，自己才能达到完美"，与之相反，"如果一个人只为自己劳动，他也许能够成为著名的学者、伟大的哲人、卓越的诗人，然而他永远不能成为完美的、真正伟大的人物"[①]。总之，马克思把"人类的幸福"作为选择职业的目标和理想，表现出马克思为自己的理想而自豪、为自己的幸福属于千万人而快乐，正是有了这种崇高的职业理想和人生理想，才有他对自己事业的坚定与热爱。

（三）拉丁语作文内容提要

在拉丁语作文《奥古斯都的元首政治应不应当算是罗马国家较幸福的时代？》中，马克思以奥古斯都时代[②]是否是一个比较幸福的时代为议题，通

---

① 《马克思恩格斯全集》第 1 卷，人民出版社 1995 年版，第 459 页。

② 注解：奥古斯都时代，是指罗马帝国的开创者屋大维从公元前 27 年获得了"奥古斯都"（意为至尊至圣）的称号后开始实行的元首政治制度时期。在这种体制下，仍然保留着共和制下的国家机构，如元老院、公民大会和高级长官制，但实际上由元首（元老院之首席）操纵国家大权。所以，这种元首政治制度既不同于布匿战争前那个时代的共和制，也有别于尼禄时代的君主制。

过对布匿战争前那个时代[①]、尼禄时代[②]与奥古斯都时代的比较，提出了对一个时代做出判断的三种方式，即要把它同其他时代进行比较、要看别人对它的评价和态度以及这一时代技艺和科学方面的状况，从而针对这个议题给予了肯定的答案。拉丁语作文展现出马克思熟知罗马史、中世纪史和现代史的历史学修养，以及他对历史问题展开研究的基本方法和评价历史问题所奉行的基本原则。具体而言，拉丁语作文有如下三个内容要点：

第一，在拉丁语作文中，马克思明确了判定奥古斯都时代是怎样一个时代的基本方法。一是可以把它同罗马历史上的其他时期加以对比，因为如果指出奥古斯都时代同那些人们称之为幸福时代的先前时代相似，而同那些在同时代人和现代人看来风尚已经变坏、国家四分五裂并在战争中遭到多次失败的时代不相似，那么根据这些时代即可以对奥古斯都时代做出结论。二是需要研究古代人们对这个

---

① 注解：布匿战争前那个时代，是指罗马共和时代在征服南意大利后为向地中海扩张而与该地区的另一个强国迦太基进行的三次“布匿战争”之前的时代（公元前 275 年　公元前 264 年）。

② 注解：尼禄时代，是指在屋大维去世后其养子提比略建立的朱里亚·克劳狄王朝遭宫廷政变颠覆后上台的尼禄统治的时期（公元 54—68 年）。

时代做了哪些评价，异国人对这个帝国是怎么看的，他们是否害怕它或者轻视它。三是还得研究那个时代的各种技艺和科学的状况如何，而技艺和科学的状况则影响着社会风尚，有如马克思所言，“如果一个时代的风尚、自由和优秀品质受到损害或者完全衰落了，而贪婪、奢侈和放纵无度之风却充斥泛滥，那么这个时代就不能称为幸福时代”①。

第二，在拉丁语作文中，马克思对布匿战争前那个时代、尼禄时代与奥古斯都时代做了对比。在布匿战争前那个时代，人们对从事美术那类艺术感到厌恶，教育不被人重视，最卓越的人们辛勤努力从事的是农业，能言善辩是多余的，充满着贵族和平民之间的斗争；在尼禄时代，最优秀的人被杀害，到处是专横，法律遭破坏，罗马城当时被毁，而统帅们由于担心他们的胜利可能引起怀疑，便宁可在和平中而不在战争中去寻求更多的功名；在奥古斯都时代，统治者治国以温和为标志，尽管各种自由，甚至自由的任何表面现象全都消失了，尽管根据“罗马首席公民”的命令改变了机构和法律，

---

①《马克思恩格斯全集》第 1 卷，人民出版社 1995 年版，第 463 页。

而往昔为护民官、监察官和执政官所拥有的一切权力都转入了一个人手中，但罗马人还是认为是他们的人民在统治这个国家，“皇帝”一词只不过是先前护民官和执政官所担任的那些职位的名称，他们没有觉得他们的自由受到了剥夺。

第三，在拉丁语作文中，马克思肯定了奥古斯都时代是最符合他那个时代的国家，并提出了把能否保障人民的自由作为判定奥古斯都元首统治时代是不是一个较幸福时代的重要标准，在此表达了马克思追求自由个性和自由社会的人生理想。马克思认为奥古斯都时代比自由时代更能保障人的自由，是最符合他那个时代的国家。恰如马克思所言，如果奥古斯都时代与布匿战争前那个时代、尼禄时代相比较，布匿战争前那个时代文化水平低下，尼禄时代又由于道德堕落和暴君政治，使得国家力量大大削弱，而“在奥古斯都的元首政治时期，国家里供职的都是些英勇和智谋卓著的人物……那么奥古斯都所确立的国家，我们认为是最符合他那个时代的国家。因为，如果百姓都柔顺亲密，讲究文明风尚，而国家的疆土日益扩大了，——那么统治者倒会比自由的共和政体更好地保障人民的自由”[①]。进言之，马克思认为奥古斯都的元首政治之所以是罗马国家较幸福的时代，其重要原因是，奥古斯都把所有派别、一切头衔、全部的权力都集中到他自己一个人身上，因而最高权力本身不会发生矛盾，特别是奥古斯都为改善动荡的国家状况所建立的机构和制订的法律，对于消除内战造成的混乱状况起了很大的作用，同时，奥古斯都清除了元老院中犯罪行为的痕迹，清洗了许多在他看来作风可恶的人，而吸收了许多智勇出众的人担任国家的职务。

（四）诗作《人生》全文及其思想提要

诗作《人生》创作于1833年，最早录自《索菲娅·马克思的笔记本》。全文如下：“时光倏忽即逝，宛如滔滔流水；时光带走的一切，永远都不会返回。生就是死，生就是不断死亡的过程；人们奋斗不息，却难以摆脱困顿；人走完生命的路，最后化为乌有；他的事业和追求湮没于时光的潮流。对于人的事业，精灵们投以嘲讽的目光；因为人的渴望是那样强烈，而人生道路是那样狭窄迷茫；人在

① 《马克思恩格斯全集》第1卷，人民出版社1995年版，第826页。

沾沾自喜之后，便感到无穷的懊丧；那绵绵不尽的悔恨，深藏在自己的心房；有人自命不凡，其实并不伟大；这种人的命运，就是自我丑化。”[①]

基于原文，我们可以看出诗作《人生》是马克思在青少年阶段对人生的思考之作，反映了马克思对时间和生死的认知。显然，这个年仅 15 岁的少年马克思对人生的理解与他对现实生活的体验和观察不无关系，然而，他对人生这种带有理论深度的认知，则更多地源自他所阅读的那些具有启蒙色彩和德国古典哲学色彩的人文经典。这也构成了他最初的人生观。具体而言，马克思认为，时间如滔滔流水，倏忽即逝，具有不可逆性，它所带走的一切都不会复返。从时间上看，人生太短暂了，因此，人们所看重的生死问题尤其是对生的贪婪和对死亡的恐惧其实是无足轻重的，甚至于生死之间的界限也不那么分明，所以不妨把生死理解为“生就是死，生就是不断死亡的过程”。既然如此，人们就应该明白：即使终生奋斗不息，最终也无法摆脱死亡的结局，总会有在有限的生命中无法完成无限事

① 《马克思恩格斯全集》第 1 卷，人民出版社 1995 年版，第 915—916 页。

业的困顿；随着自然生命的结束，大多数人终其一生强烈地渴望、贪婪地追求、苦心孤诣地经营的成功，以及个别人终其一生也无法摆脱的失败，都会淹没于时光的潮流之中。

（五）诗作《查理大帝》及其思想提要

诗作《查理大帝》与诗作《人生》同样，也是创作于 1833 年，最早录自《索菲娅·马克思的笔记本》。全文如下："使一个高贵心灵深受感动的一切，使所有美好心灵欢欣鼓舞的一切，如今已蒙上漆黑的阴影，野蛮人的手亵渎了圣洁光明。巍巍格拉亚山的崇高诗人，曾满怀激情把那一切歌颂，激越的歌声使那一切永不磨灭，诗人自己也沉浸在幸福欢乐之中。高贵的狄摩西尼热情奔放，曾把那一切滔滔宣讲，面对人山人海的广场，演讲者大胆嘲讽高傲的菲力浦国王。那一切就是崇高和美，那一切笼罩着缪斯的神圣光辉，那一切使缪斯的子孙激动陶醉，如今却被野蛮人无情地摧毁。这时查理大帝挥动崇高魔杖，呼唤缪斯重见天光；他使美离开了幽深的墓穴，他让一切艺术重放光芒。他改变陈规陋习，他发挥教育的神奇力量；民众得以安居乐业，因为可靠的法律成了安全的保障。他进行过多次战争，杀得尸横遍野、血染疆场；他雄才大略、英勇顽强，但辉煌的胜利中也隐含祸殃；他为善良的人类赢得美丽花冠，这花冠比一切战功都更有分量；他战胜了那个时代的蒙昧，这就是他获得的崇高奖赏。在无穷无尽的世界历史上，他将永远不会被人遗忘，历史将为他编织一顶桂冠，这桂冠决不会淹没于时代的激浪。”①

基于原文，我们可以看出马克思在诗作《查理大帝》中，通过把作为历史人物的查理大帝“艺术化”的方式，表达了他对历史发展进步的程度与伟大人物功过是非进行评判时所奉行的基本准则。具体而言：首先，社会进步的标准是文明，而文明的尺度则是高尚的精神和美好的心灵。比如，格拉亚山的雄伟不仅仅是山体的高耸，更是由于这片土地孕育出了崇高的诗人，满怀激情的颂扬、激越欢乐的歌声与群山相映衬使人们沉浸在幸福之中。又如，古希腊狄摩西尼的高贵，并不仅仅在于他后来成为那个时代最伟大的政治家、希腊联军的统帅，更是因为他曾经以演说家、雄辩家的论证逻辑、热

---

① 《马克思恩格斯全集》第 1 卷，人民出版社 1995 年版，第 916—918 页。

情奔放的气质和对强权的大胆嘲讽影响了民众。其次，评价历史人物的标准在于，他对人类文明发展做出多大的贡献。众所周知，公元8世纪中期，查理大帝建立了囊括西欧大部分地区的庞大帝国，并在行政、司法、军事制度及经济生产等方面都做出了开创性贡献，提升了西欧社会的文明程度，使西欧社会能够以可靠的法律作为安全的保障来维护民众的安居乐业。故此，在马克思看来，查理大帝征战四野、多次进行战争，乃至尸横遍野、血染疆场，并不是为了称雄争霸，而是“挥动崇高魔杖，呼唤缪斯重见天光”，亦即在被野蛮人占领、使文明出现倒退的地域，他“让一切艺术重放光芒”。进言之，查理大帝的功绩在于他战胜了那个时代的蒙昧，使文明重新回归欧洲，因为“他为善良的人类赢得美丽花冠，这花冠比一切战功都更有分量”，“这就是他获得的崇高奖赏”。马克思由此断言，查理大帝在世界历史长河中因其伟大的历史功绩将永远不会被人们遗忘。

（六）其他文献[①]内容提要

高中毕业班功课表呈现了特里尔时期马克思所学习的课程状况。课程设计包括语言、数学、物理和历史等科目，而语言科目又包括拉丁语、希腊语、德语、法语和希伯来语，数学科目包括代数、几何、三角，物理方面包括热学、光学、电学和磁学，历史则包括罗马史、中世纪史和近代史。这是一份具有较高水准的教学计划，授课教师"有的是很有声望的学者"。于 1954 年刊载于奥古斯特·科尔纽所著的《马克思恩格斯传》第 1 卷（柏林建设出版社）。

拉丁语即席翻译、希腊语翻译和法语翻译。拉丁语即席翻译被认为"从语言学方面看，作文说明该生作过许多练习，并力求用地道的拉丁语，虽然还不免有些语法上的错误"，而"在口语方面达到了相当满意的熟练程度"。而希腊语翻译被认为"他的知识和他对在校所学古典作家作品的理解能

① 其他文献是指高中毕业班功课表，拉丁语即席翻译、希腊语翻译和法语翻译，数学试卷，以及中学毕业证书，等等。参见聂锦芳：《神性背景下的人生向往与历史观照——马克思中学文献解读》，载《求是学刊》2004 年第 2 期。

力，差不多和拉丁语一样好”。至于法语翻译则被认为“语法知识相当好；稍加帮助，他也能读较难的东西，口头表达方面也比较熟练”[①]。

数学试卷主要是马克思对三道几何题的解答。被认为“知识掌握得很好”。数学试卷与拉丁语即席翻译、希腊语翻译和法语翻译一起，于1929年首次刊发在MEGA1第1部分第1卷第2分册。

中学毕业证书（正式文本与原始副本）由王室委员布吕格曼、校长维滕巴赫等8人组成的王室考试委员会于1835年9月24日签署的正式文本对马克思的“操行”“资质和勤勉情况”“知识和技能”（包括“语言”“各门学科”“技能”）一一做了评论，并“希望他能发挥自己的才能，勿负众望”。除了正式文本，保存下来的还有证书的原始副本、毕业考试成绩摘录、评语摘录和参加考试的学生名单。其中原始副本对马克思的评价较正式文本要详尽一些。该文本于1925年首次发表于《社会主义和工人运动史文库》莱比锡版第11卷。

---

① 《马克思恩格斯全集》第1卷，人民出版社1995年版，第932—933页。

三、研究范式

特里尔时期，马克思还处于青少年阶段，他对历史问题与时代问题的思考，主要受到当时他所处的外部社会环境与时代环境的影响，其著作所展现出来的思想理念还主要源于这一时期盛行的启蒙精神和德国古典哲学的基本主张。同时，由于马克思广泛地阅读了大量的人文经典，使他受到多种社会思潮的熏陶，尤其是当时的哲学、宗教学和伦理学的一些思想主张在其著作中均有体现，并对当前我国哲学社会科学领域内的相应学科研究产生了影响。马克思特里尔时期著作的这些特点，成为学术界研究这些著作的主要范式。

（一）以马克思所在的外部环境为研究范式

从特里尔时期马克思所在的外部环境出发对马克思特里尔时期著作进行研究，是大部分马克思主义理论家和当前学术界研究马克思特里尔时期著作的主流范式。这种研究范式，有利于综合考量马克思所受到的社会教育、家庭教育和学校教育以及马克思所处的时代境遇和时代主题对其思想形成和发展的影响。

从具体的历史条件出发评价历史事件和历史人物，是马克思一贯坚持的历史分析法的基本内容，也是一些学者分析马克思特里尔时期思想的主要方法。譬如，弗·梅林、戴维·麦克莱伦和萧灼基等知名学者在他们各自的《马克思传》中纷纷以马克思所受到的社会教育、家庭教育和学校教育等对马克思的影响为视角，分析了马克思特里尔时期的主要思想。萧灼基从马克思所处的时代背景出发，分析了特里尔时期马克思所处的时代境遇：当时正是德国资产阶级民主革命的前夜，马克思所在的莱茵省是德国资本主义最发达的地区，这里由于靠近法国，受到法国资产阶级革命的深刻影响，这种时代背景对马克思的家庭、学校及马克思本人都产生了重要影响。弗·梅林则着重分析了马克思的家庭环境，特别是马克思的父亲对马克思特里尔时期思想的影响。弗·梅林写道："亨里希·马克思树立了一种现代人文主义思想，这种思想使他摆脱了犹太教的一切偏见，而他就是把这种自由当作一宗宝贵的遗产留给了他的卡尔。"[①] 戴维·麦克莱伦就亨里

① ［德］弗兰茨·梅林：《马克思传》，樊集译，人民出版社 1965 年版，第 9 页。

希·马克思对卡尔·马克思的影响也做了进一步的分析："这种强大的家庭传统对马克思的影响是不可估量的。……据艾琳娜回忆，他（马克思的父亲）深深地沉浸在十八世纪法国关于政治、宗教、生活、艺术的自由思想里，完全赞成十八世纪法国理性主义的观点，完全相信理性的力量……他有着对压迫者权利的关切，这一点不能不说影响了他的儿子。"[①] 同时，戴维·麦克莱伦还详细分析了学校教育对马克思的影响，"马克思极有可能一直到12岁都是在家中受教育。接下来的五年（1830—1835）里在特里尔读中学，这所学校原来是耶稣学校，后来定名为弗里德里希·威廉中学。马克思在这里接受了典型而纯粹的人道主义教育"[②]。总之，环境的改变与人的活动条件的改变具有内在的一致性，这种一致性也往往对人的意识与行为发挥较强的形塑效用，把握这种内在的一致性及其效用是我们理解特里尔时期马克思思想，尤其是解读三篇中学毕业作文和两篇诗作的重要线索。

从马克思所处的时代境遇出发也是国内学术界

①② ［英］戴维·麦克莱伦：《马克思传》，王珍译，中国人民大学出版社2005年版，第7页。

解读马克思特里尔时期的思想状况以及三篇中学毕业作文和两篇诗作的重要方法。刘文艺博士在他的《启蒙的理性主义与浪漫的理想主义——论学院时期马克思两个思想趋向的生成及其意义》一文中，从马克思具有法国启蒙印痕的出生地、颇具资产阶级启蒙教养的父亲和极具启蒙理性精神的中学等三个方面出发，得出了启蒙的理性主义精神是马克思学前和中学时期的基本思想趋向的结论。首先，他分析了马克思的出生地，深受法国大革命影响的德国莱茵省南部的一个小城——特里尔，法国大革命的战火燃烧到了德国的莱茵地区，“莱茵省便从几乎是中世纪的状态过渡到新的社会经济形式”①。此后，随着工业发展及随工业发展而产生的资产阶级的迅速壮大，德国莱茵河畔的法国启蒙理性主义自由精神获得了较为稳固的现实基础，理性的自由主义在特里尔非常盛行。其次，他分析了马克思的父亲的思想特点，亨里希·马克思是特里尔自由主义反对派的两个具有代表性的学术团体——益学会和文学俱乐部的积极参与者，是一个十分开明且有启

① ［法］奥古斯特·科尔纽：《马克思恩格斯传》第 1 卷，刘丕坤、王以寿、杨静远译，生活·读书·新知三联书店 1963 年版，第 6 页。

蒙教养的人，受过资产阶级教育，早早地就摆脱了极端狭隘和限制重重的犹太教的束缚。正如同日本学者城塚登所言："父亲对启蒙思想的崇拜、进步的自由主义思想、亲法的态度以及理神论的宗教观都深深地感染了儿子马克思。"[①]最后，他分析了马克思就读的中学和主要教师的思想倾向，弗里德里希·威廉中学，是一所极具启蒙理性精神的学校，时任校长维滕巴赫就是个坚定的启蒙信徒，他不仅是马克思的历史老师，也是马克思家庭的朋友，时常和马克思的父亲一起参加激进的政治活动，对中学时代最后几年的青年马克思的思想发生了深刻的影响，增加了马克思对启蒙理性主义的信赖[②]。可以说，这种从马克思所处的时代境遇出发考察特里尔时期马克思思想状况的分析方法，能够在厘清马克思是在何时、何地及何种意识形态环境中开始思考社会历史问题的基础上，重点观察马克思发生思想发展演变的整个过程，对我们客观总体地理解马克

① ［日］城塚登：《青年马克思的思想——社会主义思想的创立》，尚晶晶等译，求实出版社1988年版，第68页。

② 刘文艺：《启蒙的理性主义与浪漫的理想主义——论学院时期马克思两个思想趋向的生成及其意义》，载《内蒙古大学学报》（哲学社会科学版）2004年第9期。

思及其特里尔时期思想具有示范意义。

（二）以马克思承继的思想渊源为研究范式

这种研究范式，主要从特里尔时期马克思的思想来源出发对马克思的特里尔时期著作进行研究。关于特里尔时期马克思的思想来源问题，有学者从当时马克思的阅读内容和功课表出发对这一时期马克思的著作进行研究，也有学者从自由主义、康德、费希特哲学等不同思想流派与社会思潮对马克思的思想熏陶为突破口对其著作进行分析。

聂锦芳教授以马克思的阅读内容和中学时期的功课表等为依据对马克思特里尔时期的九份文献[①]，尤其是三篇中学作文进行了分析。他指出："马克思很早就喜欢文学艺术，尤好写诗。虽然那时他还谈不上对人生有什么实际的经验和体味，但他阅读了大量文学作品和历史书籍，书中展示的人生命运和个体境遇，构成了他写作的原始素材和情感

① 注解：九篇文献分别为诗作《人生》，诗作《查理大帝》，高中毕业班功课表，拉丁语即席翻译、希腊语翻译和法语翻译，数学试卷，中学毕业证书（正式文本与原始副本），宗教作文，德语作文，拉丁语作文。如果将拉丁语即席翻译、希腊语翻译和法语翻译单列，同时将中学毕业证书（正式文本与原始副本）划分为中学毕业证书正式文本与中学毕业证书原始副本，则为 12 篇文献。

来源。”[1] 进而，聂锦芳教授分析了马克思高中毕业班功课表，“课程设计包括语言、数学、物理和历史等科目，而语言科目又包括拉丁语、希腊语、德语、法语和希伯来语，数学科目包括代数、几何、三角，物理方面包括热学、光学、电学和磁学，历史则包括罗马史、中世纪史和近代史”[2]。据此，聂锦芳教授勾勒出了当时马克思作为一个少年思考者的运思背景、人生期待和历史视点，得出了此时马克思具有宗教情结和宗教心理，神学与宗教一直是他成长和运思的主要背景的结论。这种从马克思当时的受教育内容和知识结构出发研究此时马克思的著作文献，进而透视其思想状况的方法，相比于从马克思所处的时代境遇出发进行研究的方法，更加具体严谨，也更能走进马克思的思想深处。

自由主义是马克思特里尔时期的思想底色，也是贯穿马克思思想始终的思想基因。刘乃勇博士对此做了全面分析：首先，马克思在德语作文和宗教

---

① 聂锦芳：《神性背景下的人生向往与历史观照——马克思中学文献解读》，载《求是学刊》2004 年第 2 期。

② 聂锦芳：《神性背景下的人生向往与历史观照——马克思中学文献解读》，载《求是学刊》2004 年第 2 期。

作文中表达了为“人类的幸福和自身的完美”而奋斗的人生理想，并且此时马克思已经注意到理想和现实的关系，正如马克思自己所言，“我们并不总是能够选择我们自认为适合的职业；我们在社会上的关系，还在我们有能力决定它们以前就已经在某种程度上开始确立了”[①]。尽管，在德语作文中表达的这种理想与现实的关系在此时马克思的思想中还不是十分鲜明，但是，这个问题是贯穿于青年马克思哲学思维的基本问题，同时，在宗教作文中马克思把一个“信徒同基督结合为一体”的宗教教义问题转化为对宗教的理性分析，而贯彻到底的理性必然和宗教产生裂痕，进而导致无神论的结论。这表明马克思吸收了一些犹太教这方面的内容，有一种对人类终极关怀的情结，并有一种类似宗教式牺牲的奉献精神。其次，马克思在拉丁语作文中表达了自己的社会理想，这就是“人民的自由”。马克思以自由为幸福时代的评判标准，例如马克思写道，“因为当人们变得柔弱，纯朴风尚消失，而国家的疆土日益扩大的时候，独裁者倒可能比自由的共和

① 《马克思恩格斯全集》第 1 卷，人民出版社 1995 年版，第 457 页。

政体更好地保障人民的自由”[①]。有据于此，刘乃勇得出以下结论：马克思从思想原点上是受到自由主义影响并崇尚自由的，“但是马克思思想从原点开始源于自由主义同时开始超越自由主义。马克思一开始受到自由主义、启蒙主义、理想主义的熏陶，但是同时也有理性主义的倾向，和一种面向实际的历史、现实的生活的现实主义态度”[②]。

马克思中学时的三篇作文和两篇诗作受到了“以伊曼努尔·康德为主要代表的德国后期启蒙运动的思想财富以及在莱茵省起过特殊作用的法国启蒙运动的思想”[③]的重大影响。北京大学马克思主义学院都岩博士认为，马克思的宗教作文体现出了理性主义宗教观。在宗教作文中，马克思认为信仰的必要性的来源是人类摆脱迷信、外在不高尚的限制和欲望的诱惑的需要。正如马克思在分析信徒与基督相结合的实质与作用时所认为的：对基督的爱使人们与他人紧密联系在一起，为对方做出牺牲，做

---

① 《马克思恩格斯全集》第 1 卷，人民出版社 1995 年版，第 464 页。

② 刘乃勇：《马克思的思想原点——马克思特里尔时期文本新解读》，载《江汉论坛》2010 年第 2 期。

③ 都岩：《康德—费希特哲学对马克思学生时期思想发展的影响》，载《马克思主义与现实》2014 年第 2 期。

有德行的人。这与“因信称义”的虔信派有很大的差异。从这篇作文的题目也可看出当时用理性来阐释宗教意义的风气，即信仰的必要性、本质与作用是需要理性来论证的。同时，马克思的德语作文体现出了启蒙主义理想的人生观。在德语作文中，马克思说：“在选择职业时，我们应该遵循的主要指针是人类的幸福和我们自身的完美。”[①] 同这种研究方式相类似的是，也有学者将马克思的职业观及其人生观与卢梭的《爱弥儿》相比较，指出二者的相似性[②]，说明了马克思此时的思想基于启蒙运动和古典时期的人道主义理想：个人的全面发展是与社会的全面发展相互依存的。幸福就是为大多数人的幸福而奋斗，为人类而牺牲自己，正如马克思在其德语作文中指出的，“我们的事业将悄然无声地存在下去，但是它会永远发挥作用，而面对我们的骨灰，高尚的人们将洒下热泪”[③]。因此，都岩博士认为：在一个少年确立其人生观的时期，不能不说启

① 《马克思恩格斯全集》第 1 卷，人民出版社 1995 年版，第 459 页。

② ［英］戴维·麦克莱伦：《马克思主义以前的马克思》，李兴国等译，社会科学文献出版社 1992 年版，第 35 页。

③ 《马克思恩格斯全集》第 1 卷，人民出版社 1995 年版，第 450—460 页。

蒙主义的人道主义与宗教的救世情结对其影响是巨大的，马克思用其一生诠释了他为人类的幸福而奋斗的理想。①

此外，在拉丁语作文中，马克思认为，进行历史评价应遵循人格化的标准。幸福的时代是由于风尚纯朴、积极进取、官吏和人民公正无私，这完全是从统治者与人民的伦理道德方面对历史时期进行评价。虽然奢求一个少年对历史背后的动力做出更深入的揭示无疑过于苛刻，不过马克思在文中也简要地提到了要从科技和技艺的标准来评价一个时代。通过都岩博士对马克思这三篇作文的分析可以看出，“中学时期的马克思秉持的是启蒙思想，具体来说他受到康德哲学中的理性主义的道德观的影响，认为应该用伦理道德来理解宗教、规划人生、评价历史。而进入大学之后的马克思通过对哲学的努力学习，自觉地对启蒙哲学做出了分析与批判”②。

---

① 都岩:《康德—费希特哲学对马克思学生时期思想发展的影响》，载《马克思主义与现实》2014年第2期。

② 都岩:《康德—费希特哲学对马克思学生时期思想发展的影响》，载《马克思主义与现实》2014年第2期。

（三）以研究者所处的学科视角为研究范式

不同学者基于不同的学科背景、理论视野和各自学科发展要求对马克思特里尔时期的著作进行了研究，是当前我国学术界研读马克思特里尔时期著作的主要方式。这种研究范式主要集中在哲学、伦理学和宗教学三个学科维度。

从哲学的视角出发研究马克思特里尔时期的著作，最具代表性的当属张一兵教授的《青年马克思早期哲学视界中的主体辩证法》一文。张一兵教授认为，在青年马克思的早期思想（1835—1842）演进中，其哲学思想蕴含着十分独特的主体辩证法逻辑，以及暗含在这一思想过程中的一种内在的逻辑冲突，其中，三篇中学作文作为马克思特里尔时期最具理论意义的文本，蕴含着马克思哲学的原始基因。首先，宗教作文表明青年马克思此时还是在基督教神学的框架中活动。譬如，马克思在论述信徒与基督的一致时写道："在我们研究各个人的历史、人的本性的时候，我们虽然也看到他心中有神性的火花、好善的热情、求知的欲望、对真理的渴望，但是欲望的火焰甚至常把永恒的东西的火花吞没。”[①] 在这里，人还是神性的创化，人与神的关系被比作葡萄藤和枝蔓的联结。在《青年在选择职业时的考虑》一文中，马克思首次确证了人具有主体能动性，将人与动物的区别界定为人类主体的自我超越性和创造性。马克思写道，神给人指定了共同的目标——人类和他自己必须趋于高尚，“自然本身给动物规定了它应该遵循的活动范围，动物也就安分地在这个范围内活动，而不试图越出这个范围，甚至不考虑有其他范围存在”[②]，然而，此时在青年马克思的思想中这还是一种神的引导。最后，马克思进一步指出了人的主体性的发挥受到外部条件的限制，正如马克思在德语作文中所指出的，“我们并不总是能够选择我们自认为适合的职业；我们在社会上的关系，还在我们有能力决定它们以前就已经在某种程度上开始确立了”[③]。这里所谓的“我们在社会上的关系”，是指每一代新人要面对的“先在的”客观现实，这种现实关系客观地制约着人类主体的创造和超越。现实存在（逻辑上的

① 《马克思恩格斯全集》第 1 卷，人民出版社 1995 年版，第 819 页。
② 《马克思恩格斯全集》第 1 卷，人民出版社 1995 年版，第 445 页。
③ 《马克思恩格斯全集》第 1 卷，人民出版社 1995 年版，第 457 页。

"是")是对人的超越性本质(价值论上的"应该")的一种限定，所以人类的生存过程就必然是一种不断从外部制约中挣脱出来的过程。最终，张一兵教授指出："这种思想质点特别是包含在这一思想中的某种潜在的人类主体能动性与外部客观限定性、个体与社会、基础与主导因素的逻辑冲突，似乎就是马克思在人与外部对象关系看法上的一个重要生长点。一个从人类主体出发的主体辩证法逻辑上的序曲。"①

从伦理学的视角出发研究马克思特里尔时期的著作。这种观点认为，马克思早期伦理思想虽然明显地带有近代启蒙伦理思想的印记，但是，从一开始马克思就体现出独特的思想气质，"他并没有沿袭一些启蒙思想家只是从抽象的观念出发来论证社会制度和人的存在状态的合理性，而是非常重视对人生活的客观环境和现实因素的分析"②。进而得出结论：马克思中学时代思想则选择了对生活的"伦理学"思考，这种思考集中凝聚在马克思中学文本

① 张一兵:《青年马克思早期哲学视界中的主体辩证法》，载《河北学刊》1995年第2期。

② 李培超:《马克思早期伦理思想探析》，载《伦理学研究》2010年第2期。

资料中关于基督教生活伦理、青年职业伦理和奥古斯都时代政治生活伦理。首先，宗教作文，彰显了马克思的基督教生活伦理观，他把基督当成日常生活的精神支柱，劝导自己、也劝告他人同基督结合；只要同基督结合在一起，人们就会享受“爱”和“美德”的生活，就能学会宽容和修养美德。但是，“他在这个时期尚未意识到宗教生活伦理观的抽象性和虚幻性，更无从要求他在这个时候对宗教生活伦理观的缺陷作出批判”[①]。其次，马克思的德语作文讨论了青年人职业选择的生活伦理观。他认为，幸福生活，尤其是他人的幸福生活，应当是青年人选择职业的“指针”。马克思始终强调青年人的职业选择是崇高的、复杂的、重要的，关乎社会生活的幸福与正常发展，需要每个青年人认真对待，要把千百万人的幸福生活与自己的职业选择联系起来。当然，这种职业伦理观是不彻底的。他把选择职业看作神的安排，青年人要以“神意”为选择职业的原则。在这种情形下，我们不可能希望马克思做出实践唯物主义的批判。其实，在青年人选

---

① 吴苑华:《马克思中学时代的生活伦理思想》，载《华侨大学学报》(哲学社会科学版)2008 年第 2 期。

择职业的伦理问题的思考上，马克思积极地表达了自己的世界观、人生观和价值观，如，人类幸福的博爱襟怀、实事求是的精神、包容“他者”的思维素养、联系的辩证观点、负责地选择职业是一种“美德”、一种“爱”等。最后，在拉丁语作文中，马克思试图揭示奥古斯都时代政治生活伦理的本质。在该文中，马克思首先考察了研究路径问题。马克思认为，要把奥古斯都时代政治生活视为幸福的生活，那么有三种可能的论证路径：一是把它同罗马历史上其他时代做比较；二是通过古代人对它所做的研究；三是考察那个时代的文化状况。在马克思看来，第一种研究路径是最为重要的路径。毫无疑问，从整个罗马历史上看，奥古斯都时代的国家政治生活是幸福的。对此，华侨大学马克思主义学院吴苑华教授分析道：“客观地讲，马克思对奥古斯都时代政治生活状况的考察是偶然的，因为这是适应中学命题作文的要求。马克思中学时代对奥古斯都时代的了解并不充分，因而对其所作的考察明显受制于这个时期的理想主义，还不可能对奥古斯都时代政治生活的历史局限性作出科学的分析，这一切只有在实践唯物主义的生活伦理观被确立之后才能获得合理的解决。但是，这篇习作所揭示的思想内容却不是偶然的，它是马克思中学时代的生活伦理观的表征。马克思在进入社会后之所以积极勇敢地关注劳动人民的困苦生活、批判反动腐朽的现实政治生活，在某种程度上是因为有了这个时期对国家政治生活伦理观的积极思考。”①

从宗教学的视角出发研究马克思特里尔时期的著作。近年来国内学者就有侧重宗教学的研究，李士菊、秦佳和聂锦芳等人的论文，基本上可说是对马克思宗教观的考察，给人以不少的启发。李士菊、郝瑞斌等人认为对马克思学生时代宗教思想变化的研究是马克思主义科学无神论的出发点和必要准备，忽略了对它的研究，便不可能做出对马克思主义宗教观历史的和开放性的理解。他们指出：“马克思虽然从小出身于宗教家庭，但是自由主义和启蒙思想对他有着潜移默化的影响。后来马克思就读的特里尔中学也盛行自由主义启蒙精神。中学时期，他受到了具有进步思想的教师和校长的影响，他们反对蒙昧主义、崇尚科学和理性并努力引

① 吴苑华：《马克思中学时代的生活伦理思想》，载《华侨大学学报》（哲学社会科学版）2008 年第 2 期。

导学生追求进步的行为对马克思的思想发展具有积极的作用。”[①] 尤其是，这一时期马克思的宗教作文恰恰表明，“作为一个 17 岁的中学生来说，马克思此时还不可能有自己的思想，也还是个有神论者。但在这里，马克思对个人的作用、对个人的价值和理想、个人与他人、个人与整个人类的利益关系所作的论述，是在那个时代所能达到的较高认识。尽管有人说他的宗教思想类似于自然神论和道德神论，但是他在对宗教的论述中所阐明的人生目的、人生理想、人受环境制约及个人利益与人类利益的一致等观点，更具启蒙思想的倾向。”[②] 这两者之间有相当密切的联系。然而，秦佳则认为学生时代的马克思还是“虔诚的路德派基督教徒”“循规蹈矩，彬彬有礼，虔诚的宗教信徒，与其后成熟的、战斗的马克思完全判若两人”[③]。聂锦芳教授则认为，作

---

① 李士菊、郝瑞斌:《学生时代马克思宗教思想的变化——从〈中学毕业作文〉到〈博士论文〉》，载《河北师范大学学报》(哲学社会科学版) 2001 年第 2 期。

② 李士菊、郝瑞斌:《学生时代马克思宗教思想的变化——从〈中学毕业作文〉到〈博士论文〉》，载《河北师范大学学报》(哲学社会科学版) 2001 年第 2 期。

③ 秦佳:《找寻马克思宗教思想的演进轨迹》，载《南通职业大学学报》2002 年第 1 期。

为律师的父亲亨里希·马克思对少年马克思有重大影响："他父亲所谓的'启蒙主义''理性主义'，严格说来，并不是拒斥神学，走向无神论或反宗教，而是改换门庭，别立皈依。诚如法国学者奥古斯特·科尔纽所说，'摆脱了偏狭的犹太正统宗教的这种理性主义，是他改宗与他志趣相近的开明新教的部分原因'。……说马克思是在神性背景或氛围中成长起来的，该是一个恰当的指认。"[①] 可以说，特里尔时期，马克思身上开始显现的作为一个思想家所具有的基质、意向和思路以及以少年之眼看世界所达到有限程度。

四、焦点问题

在对马克思特里尔时期著作的研究中，学者们受到自己固有的学科背景和知识结构的影响，采取了不同的研究视角和研究范式，加之不同学者对马克思思想发展的整体趋势的不同理解，导致了当前学术界对马克思特里尔时期著作出现了不同的理解。在马克思是否在特里尔时期形成了完整的神学

① 聂锦芳：《神性背景下的人生向往与历史观照——马克思中学文献解读》，载《求是学刊》2004 年第 2 期。

世界观、是否出现了唯物史观的萌芽、他为全人类服务的信仰是理想主义还是科学信仰、他的思想原点是专制主义还是自由主义等方面呈现出较大的理论分歧。

（一）马克思在特里尔时期是否形成了完整的宗教神学世界观

马克思作为西方文明孕育的一代思想巨匠，不可避免地受到西方宗教思想影响。那么，在特里尔时期，马克思是否形成了完整的神学世界观呢？对此，学术界存在着两种不同的声音。第一种声音是，部分学者从当时弥漫在整个德国的宗教神学的时代背景、马克思的父亲改宗新教、马克思本人在六岁和十六岁时曾两次受过新教洗礼以及他在宗教作文中承认了有神论等情况出发，认为特里尔时期马克思形成了比较完整系统的宗教神学世界观。例如，秦佳曾指出，特里尔时期的马克思还是一个“循规蹈矩，彬彬有礼，虔诚的宗教信徒，与其后成熟的、战斗的马克思完全判若两人”①。第二种声音是，特里尔时期马克思虽然是一位有神论者，但

① 秦佳:《找寻马克思宗教思想的演进轨迹》，载《南通职业大学学报》2002 年第 1 期。

是，他的有神论思想与正统基督教思想相比还是有显著区别的——在当时盛行的康德理想主义思想熏陶下，他已经显现出对基督教的一种审慎的甚至是怀疑的态度，同时，他开始将自己的宗教思想置于启蒙时期人道主义信念基础之上，呈现出一种对基督教仁爱思想的情感认同和价值伦理认同。对此，法国学者奥古斯特·科尔纽曾指出："卡尔·马克思最初的精神方向决定于他的生活环境，决定于他父亲的理性主义、宗教上和政治上的自由主义，决定于他的几位具有民主思想的老师的影响。"① 中央社会主义学院王珍教授在分析马克思以人的价值为尺度考量宗教的致思路向时也同样发人深思："马克思此时的有神论思想与正统宗教，尤其是基督教思想还是有区别的，甚至可以说，马克思当时信仰上帝，却已显示出怀疑宗教甚至冲破宗教本身管束性的萌芽，这突出表现在：首先，他虽然认为神是存在的，但落脚点常常在'人'。神的存在对个体的作用是：使人类和他自己趋于高尚。马克思认为神给人指定了一个共同的目标，即让自己和人类变

① ［法］奥古斯特·科尔纽：《马克思恩格斯传》第 1 卷，刘丕坤、王以寿、杨静远译，生活·读书·新知三联书店 1963 年版，第 58 页。

得高尚，但他认为达到这个目标的手段却是让人自己去寻找。这样神在人的世界中就处于这样一种地位，即在给人制订了目标之后就不再对人进行主宰了。所以，神要人自己去实现自己的目标，要人自己主宰自己。此外，神的存在对个体之间的作用是：让个体作为‘类’联结在一起。”[①]

根据笔者对马克思特里尔时期文献的阅读，结合学界已有的研究成果，笔者认为：特里尔时期，马克思受到了正统的宗教教育，也接受了宗教洗礼，同时，他作为犹太人和西方文明孕育的一代思想巨匠，宗教情结、宗教心理和终极关怀早已渗入他的血液之中，可以说此时的马克思是一位有神论者，但是，我们却不能就此判定马克思是一位虔诚的宗教教徒。因为，在三篇中学作文中，马克思始终关注着人的价值和人性的解放，正如他在德语作文中所表达的“为人类的幸福而劳动”的人生理想；始终保持着对宗教理性主义的态度和人学导向，正如他在宗教作文中所指出的“同基督结合为一体可使人内心变得高尚，在苦难中得到安慰，有

① 王珍：《试论青年马克思从有神论到无神论的思想转变》，载《世界宗教文化》2010 年第 6 期。

镇定的信心和一颗不是出于爱好虚荣，也不是出于渴求名望，而只是为了基督而向博爱和一切高尚而伟大的事物敞开的心”[①]；始终贯穿着自由主义和人的幸福的价值取向，正如他在拉丁语作文中所指出的，“如果说有一个布匿战争以前产生的国家曾经是最适合它那个时代的国家，因为它唤起了人们去建立伟大的业绩，造就了一些使敌人感到惧怕的人物，并号召在贵族与平民之间展开良好的竞赛（诚然，这种竞赛并不是全然没有忌妒心的），那么，我认为，奥古斯都所建立的国家则是最适合他那个时代的国家。因为当人们变得柔弱，纯朴风尚消失，而国家的疆土日益扩大的时候，独裁者倒可能比自由的共和政体更好地保障人民的自由”[②]。同时，我们在考察三篇中学作文时也要注意到三篇作文均为考试作文的事实，尽管马克思在宗教作文中承认了把信徒与基督结合的必要性，接近了考试的标准性答案，但是在这里马克思并不是简单地引用一下《福音书》，把信徒与基督结合说成上帝的安排，而是通过历史的考察指明了这种结合在于“the nature

① 《马克思恩格斯全集》第 1 卷，人民出版社 1995 年版，第 453 页。

② 《马克思恩格斯全集》第 1 卷，人民出版社 1995 年版，第 464 页。

of man”（人的本质），即人永远力图不断提高自己的道德，上升到神的地位，人们才信仰基督并与基督结合，正是由于人们希望通过基督教导人们达到道德的完善，实现人的本质。可以说，他所理解的神是由人上升而成的，是近人的并与人结合的；他的宗教观是建立在道德的基础上，宗教是使人道德趋于完善的必要形式。此外，马克思成年以后对宗教的批判之所以到位和深刻，与他早年接受宗教熏陶与教育的经历分不开，与他早年深受启蒙思想影响以及完成两个转变难以分开。

总之，特里尔时期马克思的思想存在着有神论的宗教思想和理性主义自由主义的启蒙思想之间的内在张力，并且理性主义自由主义的启蒙思想已占据主流，不具有完整的神学世界观，随后，在马克思的思想发展演进中，启蒙思想进一步彰显，宗教思想彻底式微。

（二）马克思关于“我们的社会上的关系制约着我们的职业选择”的论断，是否可以看作其唯物史观思想的萌芽

马克思在其德语作文《青年在选择职业时的考虑》一文中写道：“我们并不总是能够选择我们自

认为适合的职业，我们在社会上的关系，还在我们有能力对它起决定性影响以前就已经在某种程度上开始确立了。”[①] 有据于此，一些学者认为这一论断蕴含着其唯物史观思想或者说是其唯物史观的萌芽。陈玉君、黄利秀等学者认为，这里的“社会关系”与我们当代青年人所指的人脉关系和背景是不能等同起来。以唯物史观来解释，“现有的社会关系”应是“社会存在决定社会意识”中的社会存在，具体而言主要指社会的生产力水平乃至整个社会的生产方式。青年人的职业理想必须源于具体的现实，并为现实的生活条件所制约，充分说明了年轻马克思的思想中已包含有历史唯物主义的因子。[②] 然而，戴维·麦克莱伦却提出了与此相反的结论，他指出：“这句话作为马克思后来历史唯物主义理论的第一个萌芽而受到欢迎。但是，人的活动持续地受到已经形成的环境的限制，这是一个至少与启蒙运动和百科全书学派一样古老的思想。如果历史唯物主义的萌芽已经在一个 17 岁中学生的头脑中

① 《马克思恩格斯全集》第 1 卷，人民出版社 1995 年版，第 819 页。

② 陈玉君、黄利秀等:《青年马克思的价值理想及对当代青年的启示——读〈青年在选择职业时的考虑〉》，载《前沿》2011 年第 9 期。

出现，这实在是令人惊奇的事情。这种观点是错误的，即认为马克思的早期作品中，他提出了他后来给出答案的一些问题……无论如何，这篇文章接下来的段落，提到了人的身体或智力的缺陷，表明马克思这里的意思仅仅是当一个人选择职业的时候，他应该考虑他所处的环境。”①

综合学界的研究，笔者认为，“我们在社会上的关系”虽然指明了每一代新人要面对的“先在的”客观现实，并且这种客观现实在深层次上制约着人类主体的创造性和超越性。但是，这里的“现有的社会关系”还具有更多的感性特征，更多强调的是现有的社会关系对青年人职业选择的制约作用，是青年职业选择的重要标准，并不等于后来马克思所讲的“人的本性在其现实性上是一切社会关系的总和”的一切社会关系，并不包含生产关系。因为，此时马克思尚未进行政治经济学的研究，还不能以生产领域为突破口对资本主义生产关系进行深入剖析，也就是说特里尔时期马克思还没有发现物质生产的重要意义。正如列宁在谈到马克思主义社会历

① ［英］戴维·麦克莱伦:《马克思传》，王珍译，中国人民大学出版社2005年版，第10页。

史科学的形成时曾这样说："只有把社会关系归结于生产关系，把生产关系归结于生产力的高度，才能有可靠的根据把社会形态的发展看作是一个自然历史过程。"[①] 列宁的两个"归结"理论，作为我们理解马克思唯物史观形成过程的逻辑线索，为我们判定"我们的社会上的关系制约着我们的职业选择"不能作为马克思唯物史观的思想萌芽提供了最基本的学理依据。同时，回到德语作文原文，我们发现：先于个人而存在的社会上的关系与为人类幸福而工作、个人的体质与能力一样只是作为青年职业择业的重要标准，只是因为它对青年人职业选择发挥巨大的制约作用而引起了马克思的关注。质言之，"我们并不总是能够选择我们自认为适合的职业，我们在社会上的关系，还在我们有能力对它起决定性影响以前就已经在某种程度上开始确立了"的论述，强调的是这样一种思想：理想必须源于现实，理想的实现必定受到现实生活条件的制约，只有那些能深入生活，把理想与现实、思想与行动紧密结合起来的职业，才是一个有为的青年所向往的

① 《列宁全集》第 1 卷，人民出版社 1984 年版，第 8 页。

职业；既然青年在社会上的关系在他们有能力决定之前就已开始确立，那么，他们只有确立认真选择的态度，才不致“听天由命”，才能选择出最适合自己成长和社会发展的职业选择。在这里马克思所表达的主要是“人们是生于预已决定其选择的环境中的，环境造就了他们的世界观”的观点。

总之，尽管此时马克思把人们的活动、人们的职业选择与人们在社会上的关系联系起来，尽管这一思想在马克思后来的许多著作中得到了发展，然而这里的“社会上的关系”却不在唯物史观的范围之内，仅仅是启蒙思想中固有的“环境影响人”的思想在马克思特里尔时期著作中的外显，因此，不能说这一论断蕴含着唯物史观思想或者说其是马克思唯物史观的萌芽。

（三）马克思为全人类服务的信仰是理想主义还是科学信仰

实现无产阶级的解放和人的解放是马克思毕生为之奋斗的科学信仰。“马克思主义是关于无产阶级和全人类解放的科学，即人的解放学”[①]，“实现人民群

① 高放：《马克思主义与社会主义新论》，黑龙江人民出版社 2012 年版，第 58 页。

众的自由、发展和解放，是马克思主义基本原理的一以贯之之道”[①]。无产阶级的解放、人民群众的解放、全人类的解放与人的解放，在马克思主义解放理论中具有内在的一致性，均旨在通过生产力的发展和“实现人的高度的革命”，使作为历史活动主体的人摆脱自然、社会和自我精神的奴役和压迫，成为“自然界的主人”“自己的社会结合的主人”“自身的主人——自由的人”的历史过程，并且只有把“人”当现实的个人同时也是抽象的公民，当作社会的个体同时也是社会的类存在物时，才能实现对一切异化的一切社会关系的批判与消除，使人类社会最终成为“自由人的联合体”，实现真正的解放。一句话，无产阶级的解放、人民群众的解放与全人类的解放就是“人的解放”。因此，基于人的解放的视野来研究和理解马克思主义，特别是马克思主义的一些重要经典著作，理当成为我们开展马克思主义研究的关键。

那么，马克思究竟是在何时开始形成为人的解放而奋斗的科学信仰呢？一种观点认为在特里尔时期马克思就已经形成了为全人类服务的人生信

① 孙熙国:《马克思主义基本原理的学科对象与整体架构》，载《马克思主义研究》2012 年第 2 期。

仰。这种观点的主要依据有二：一是马克思在德语作文中表达了为全人类幸福而工作、为自己的幸福属于千百万人而快乐的思想，并且这种思想与马克思为人类幸福生活而不懈奋斗的一生交相印证。二是马克思在德语作文中阐明了人的自我完善与他人的幸福乃至人类的幸福是密切相连的，它们不是相互矛盾的，而是相辅相成和相互实现的。这两个依据的主要文本来源是：马克思《青年在选择职业时的考虑》认为，青年人在选择职业时应该遵循的主要方针是“人类的幸福和我们自身的完美，不应认为，这两种利益是敌对的，互相冲突的……人们只有为同时代人的完美、为他们的幸福而工作，才能使自己达到完美”与“如果我们选择了最能为人类福利而劳动的职业，那么重担就不能把我们压倒，因为这是为大家而献身；那时我们所感到的就不是可怜的、有限的、自私的乐趣，我们的幸福将属于千百万人，我们的事业将默默地但是永恒发挥作用地存在下去，而面对我们的骨灰，高尚的人们将洒下热泪”[①]。基于此，弗·梅林、梁赞诺夫等学者

① 《马克思恩格斯全集》第 1 卷，人民出版社 1995 年版，第 7 页。

认为德语作文已经隐含了唯物史观的思想萌芽和共产主义的思想因素，特里尔时期马克思已经达到了较高的思想境界并树立了崇高的人生信仰。另一种观点则认为：特里尔时期马克思作为一名中学毕业生，既未受到严格的德国古典哲学训练，也没有受到当时法国社会主义思潮的影响，更没有深入资本主义生产关系内去探索物质生产的秘密并付诸无产阶级革命实践，根本不具备形成为人的解放而奋斗的科学信仰的前提条件，因此，对于德语作文“不能在理论上给予过高的评价，其这一时期的人生和社会理想也不能与其后来的科学理论相提并论，更不能混为一谈”[①]。

纵观学术界以上两种观点，结合马克思共产主义信仰形成的主要历程和基本前提。我们认为：马克思这种为人类服务的思想，同马克思后来转变到无产阶级立场后的为人类服务的思想，有前后相继的历史联系，但有根本的区别。这不仅在于二者的理论出发点和论证方法不同，而且还在于二者的基本内容和价值取向也是有区别的，二者之间存在着

① 刘长庚：《马克思特里尔时期的思想状况研究及其当代意义》，载《理论界》2014 年第 5 期。

理论逻辑的根本差别。因为马克思此时还没有看到社会上的阶级利益的根本冲突，还无法阐释其科学的辩证唯物主义和历史唯物主义。但是，德语作文中的一些话语确实反映了马克思在选择职业时所树立的崇高理想和为人类幸福而献身的愿望，并且这些理想成为马克思后来人生的行动准则，因此，我们也不能完全否定马克思的人生理想和社会理想的崇高性。具体而言，首先，要充分肯定德语作文中马克思的人生理想和社会理想的崇高性。德语作文中“为人类福利而劳动”“为他人幸福而工作”等思想，一定程度上反映了马克思在特里尔时期已经树立了为千百万人幸福而工作的崇高理想，并且这一理想成为他一生的坚定信念，表明此时马克思已经冲出了保守主义与利己主义的思想遮蔽。其次，马克思为全人类劳动的目标与通过自我牺牲来实现人类整体福祉的思想充满了宗教色彩和理想主义，是他本人在基督教思想影响下的人生思考。在德语作文中，马克思认为选择最能为人类福利而劳动的职业，是遵循神的启示并在神的引导下完成的。马克思曾指出：“宗教本身也教诲我们，人人敬仰的典范，就曾为人类而牺牲自己——有谁敢否定这类教诲呢?”[①]最后，马克思在德语作文中表达的为人类服务的思想，同他后来转变到19世纪劳动者阶级立场上为人类服务的思想，既呈现出前后相继的历史联系，又存在着不容忽视的显著区别。二者在世界观基础、阶级立场、基本内容和论证方法等方面存在着本质上的不同。基于此，笔者认为，戴维·麦克莱伦对马克思德语作文的评价是比较中肯客观的。戴维·麦克莱伦指出，文章“充满了理想主义色彩，洋溢着要通过一种方式把人的个性完全发展出来的热情，即规避权力和荣誉、用自我牺牲的精神来为人类整体谋福利”。可以说，在主题、结构和思想上马克思和其他毕业生的答案大同小异，基本上是德国启蒙运动和古典时期的人道主义的理想观念，文章中没有形成任何理论观点，“没有形而上学的上帝痕迹”“上帝、自然和创造这些词语甚至是可以互换的”[②]。

总之，特里尔时期马克思为全人类服务的理想具有理想主义特征，充满着基督教的仁爱思想和资

① 《马克思恩格斯全集》第1卷，人民出版社1995年版，第459页。

② [英]戴维·麦克莱伦:《马克思传》，王珍译，中国人民大学出版社2005年版，第8—9页。

产阶级的人道主义的思想底色，根本不同于马克思后来转变到无产阶级立场后的为人类服务的思想，所以，特里尔时期马克思为全人类服务的理想因缺乏唯物史观的基础而不能称作科学信仰。

（四）马克思的思想原点是专制主义还是自由主义

马克思在拉丁语作文《奥古斯都的元首政治应不应当算是罗马国家较幸福的时代?》中给出了肯定的答案，即奥古斯都的帝制时期优于罗马王政时期和共和时期，是罗马国家较幸福的时代。马克思在该文中所给出的肯定性答案，成为西方反华势力和境外敌对势力阵营中的一些学者妖魔化马克思、妖魔化马克思主义和共产主义学说的重要依据，他们据此认为马克思主义在源头上带有专制主义的基因，对中学时代的马克思大肆污蔑，甚至说马克思中学时代就有“毁灭”人类的邪念。事实上，在这篇拉丁语作文中，马克思认真研究了古代罗马历史，详细分析了奥古斯都元首统治时期、布匿战争前的时代和尼禄时代三个时期的具体情况：布匿战争前的时代人们厌恶艺术，不重视教育和论辩，谈吐粗鲁，历史研究沉溺于事实叙述，同时人们的精力都耗费在了“贵族和平民的权利争论”上，是“失败的时代”；尼禄时代“最优秀的人被杀害，到处是专横，法律遭破坏”，当时的罗马城被毁，统帅们担心他们的胜利会引起皇帝的怀疑，因而失去了推动他们建功立业的动力，“便宁可在和平中而不是在战争中去寻求更多的功名”，是“最坏的时代”；奥古斯都统治时期，人们在军事方面表现出崇高的美德，创造了辉煌的科技和繁荣的文化，实现了社会秩序的稳定，是“比较幸福的时代”。在此基础上，马克思指出，在奥古斯都统治时期，独裁代替了民主，曾经存在于平民中的自由，甚至自由的外表都完全消失了。全部国家权力完全集中于元首一个人手中，法律和制度完全根据元首的命令而改变。但是如果与前两个时期相比较，第一个时期文化水平低下，第二个时期又由于道德堕落和暴君政治，使得国家力量大大削弱，而“在奥古斯都的元首政治时期，国家里供职的都是些英勇和智谋卓著的人物……那么奥古斯都所确立的国家，我们认为是最符合他那个时代的国家。因为，如果百姓都柔顺亲密，讲究文明风尚，而国家的疆土日益扩大了，——那么统治者倒会比自由的共和政体更好地保障人民的自由”[①]。据此，学界的主流看法是：拉丁语作文中，马克思还是用是否能够保障人民的自由来判断奥古斯都时代是否是一个好的时代，在此他借一个论述专制的政体的作文来表达自己自由个性和自由社会的理想。[②]

结合学界观点，笔者认为，马克思在其思想原点上是受到自由主义影响的，“风尚、自由和品质”等理念正是马克思衡量一个时代是否“幸福”的基本指标，正如马克思在拉丁语作文中所言：“如果一个时代的风尚、自由和优秀品质受到损害或者完全衰落了，而贪婪、奢侈和放纵无度之风却充斥泛滥，那么这个时代就不能称为幸福时代。”[③]特里尔时期，马克思的自由思想是对德国古典哲学自由精神的继承和发展，可以说自由精神是贯穿马克思思想始终的精髓。但是，马克思主义自由思想是以特定历史条件为基础的，它不同于资产阶级的自由，我们也要防止对马克思此时自由思想的偏狭理解，

---

① 《马克思恩格斯全集》第 1 卷，人民出版社 1995 年版，第 826 页。

② 刘乃勇：《马克思的思想原点——马克思特里尔时期文本新解读》，载《江汉论坛》2010 年第 2 期。

③ 《马克思恩格斯全集》第 1 卷，人民出版社 1995 年版，第 463 页。

导致出现马克思主义人道主义化的现象。同时需要指出的是，尽管在拉丁语作文中，马克思以文化水平的高低、社会秩序的稳定程度、社会道德和社会风俗状况以及人们生活的自由程度为标准对罗马王政时期、共和时期与奥古斯都帝制时期做了比较，肯定了奥古斯都元首政治时期是罗马国家较幸福的时代，反映了马克思已初具社会历史前进发展的观念，但是，马克思对社会结构系统的观照和透析以及对社会制度的评价还停留于可感事物、表层现象，还没有找到制约这些社会表层的“漂浮物”的深层因素，也还没有发现“原因背后的原因”——社会生产方式的独特作用。总之，拉丁语作文所反映的马克思的思想原点并非专制主义，而是充满了启蒙运动中的自由主义色彩，但是，此时在马克思拉丁语作文中所反映出的自由主义思想与后来马克思所阐发的“每个人的自由发展是一切人的自由发展的条件”的自由主义有着本质的不同。

总体说来，围绕特里尔时期马克思著作的文献学研究，对于研究马克思本人思想的逻辑起点和马克思主义的思想基因具有不容忽视的积极意义，为我们全方位地认知马克思的思想来源、发展历程和整体架构，理解马克思的经典文献，把握马克思的思想精髓，提供了重要方向。无疑从特里尔时期马克思所处的社会环境、家庭环境和学校环境出发，并结合马克思的家人和师友对其作文的评价，来研究他这一时期的文献，是研究此事马克思思想状况的基本前提。在此基础上，形成的从特里尔时期马克思所在的外部环境出发对马克思特里尔时期著作进行研究，或从特里尔时期马克思的思想来源出发对马克思的特里尔时期著作进行研究，或基于不同学者各自的学科背景、理论视野和学科发展要求对马克思特里尔时期的著作进行研究。这三种研究范式为当前研究马克思特里尔时期著作的三种主要研究范式，为我们从马克思思想的原始素材出发来理解马克思，避免了对特里尔时期马克思著作做纯粹思辨的抽象化理解，做出了积极的探索。然而，对于当前学术界关于马克思特里尔时期著作的理论分歧，笔者认为：尽管特里尔时期马克思受到了正统的宗教教育，也接受了宗教洗礼，并且在宗教作文中给出了肯定性答案，认为信徒与基督相结合是必要的，但是，在三篇中学作文中，马克思始终关注着人的价值和人性的解放，始终保持着对宗教理性主义的态度和人学导向，始终贯穿着自由主义和人的幸福的价值取向，始终彰显着自由主义和理性主义的启蒙精神，因此，不能说马克思特里尔时期形成了完整的神学世界观；在德语作文中，“我们并不总是能够选择我们自认为适合的职业，我们在社会上的关系，还在我们有能力对它起决定性影响以前就已经在某种程度上开始确立了”，更多强调的是现有的社会关系对青年人职业选择的制约作用，是青年职业选择的重要标准，还具有感性特征，因为马克思尚未进行政治经济学的研究，也尚未发现生产关系的决定意义而不能算作唯物史观的萌芽；同时，在德语作文中，马克思“为人类的幸福和我们自身的完美”而奋斗的人生理想，是基督教的仁爱思想和资产阶级的人道主义在其著作中的表现，与马克思后来转变到无产阶级立场后的为人类服务的思想有着根本的不同，因此是充满理想主义的人生理想，而不能算作科学信仰；马克思在其思想原点上是受到自由主义影响的，在拉丁语作文中“风尚、自由和品质”等理念始终是马克思衡量一个时代是否“幸福”的基本指标，反映的马克思的思想原点并非专制主义，而是充满了启蒙运动中的自由主义色彩。

链接一：宗教作文

根据《约翰福音》第 15 章第 1 至 14 节
论信徒同基督结合为一体，
这种结合的原因和实质，
它的绝对必要性和作用[①]

卡尔·马克思的中学考试宗教作文

在考察基督同信徒结合为一体的原因和实质及其作用之前，我们应当弄清，这种结合是否必要，它是否由人的本性所决定，人是否不能依靠自己来达到上帝从无中创造出人所要达到的那个目的。

我们如果把自己的目光投向历史这个人类的伟大导师，那么就会看到，在历史上用铁笔镌刻着：任何一个民族，即使它达到了最高度的文明，即使它孕育

① 《马克思恩格斯全集》第 1 卷，人民出版社 1995 年版，第 449—454 页。

出了一些最伟大的人物，即使它的技艺达到了全面鼎盛的程度，即使各门科学解决了最困难的问题，它也不能解脱迷信的枷锁；无论关于自己，还是关于神，它都没有形成有价值的、真正的概念；就连伦理、道德在它那里也永远脱离不了外来的补充，脱离不了不高尚的限制；甚至它的德行，与其说是出于对真正完美的追求，还不如说是出于粗野的力量、无约束的利己主义、对荣誉的渴求和勇敢的行为。

古代的民族，那些未曾聆听过基督教义的野蛮人，当他们向诸神贡献祭品，妄想以此来赎罪的时候，他们便表现出内心的不安，害怕自己的神发怒，深信自己是卑贱的。

连古代最伟大的哲人、神圣的柏拉图，也在不止一处表示了对一种更高的存在物的深切渴望，以为这种存在物的出现可以实现那尚未得到满足的对真理和光明的追求。

各民族的历史就这样教导我们，同基督结合为一体是必要的。

即使当我们考察各个人的历史，考察人的本性的时候，我们虽然常常看到人心中有神性的火花、好善的热情、对知识的追求、对真理的渴望，但是欲望的火焰却在吞没永恒的东西的火花；罪恶的诱惑声在淹没崇尚德行的热情，一旦生活使我们感到它的全部威力，这种崇尚德行的热情就受到嘲弄。对尘世间富贵功名的庸俗追求排挤着对知识的追求，对真理的渴望被虚伪的甜言蜜语所熄灭，可见，人是自然界唯一达不到自己目的的存在物，是整个宇宙中唯一不配做上帝创造物的成员。但是，善良的创世主不会憎恨自己的创造物；他想要使自己的创造物变得像自己一样高尚，于是派出自己的儿子，通过他向我们宣告：

"现在你们因我讲给你们的道，已经干净了。"（《约翰福音》第 15 章第 3 节）

"你们要常在我里面，我也常在你们里面。"（《约翰福音》第 15 章第 4 节）

我们已经看到，各民族的历史和对各个人的考察都证明同基督结合为一体的必要性，现在我们就来考察最后的和最可靠的证据，就是基督本人的道。

基督把同他结合为一体的必要性表达得最清楚的地方，就是葡萄藤和枝蔓这一绝妙的比喻，这里他把自己比作葡萄藤，而把我们比作枝蔓。枝蔓依靠本身的力量是不能结果实的，因此，基督说，离了我，你们就无所作为。在这方面，他还说了一些更有力的话：

“人若不常在我里面……”（《约翰福音》第15章第4、5和6节）

然而，这应该理解为只是对于那些能够认识基督的道的人而言的。我们不能对上帝就这样的民族和人们所作的决定作出判断，因为我们甚至理解不了上帝的决定。

因此，我们的心、理性、历史、基督的道都响亮而令人信服地告诉我们，同基督结合为一体是绝对必要的，离开基督，我们就不能够达到自己的目的，离开基督，我们就会被上帝所抛弃，只有基督才能够拯救我们。

由于我们深信这种结合是绝对必要的，所以我们迫切地想弄清楚，这种崇高的赐予，这道从更高的世界照入我们心中、使我们的心受到鼓舞并在被净化以后升入天堂的光芒，究竟是什么含义？这种结合的内在实质和原因是什么？

一旦理解了结合的必要性，我们就会十分清楚地看到这种结合的原因，以及我们要求拯救的需要、我们喜欢作恶的本性、我们的动摇的理性、我们堕落的心、我们在上帝面前的卑贱地位，我们就再也用不着去研究这种结合的原因了，不论这原因是什么样的。

但是，谁能够把这种结合的实质表达得比基督的葡萄藤和葡萄枝蔓的比喻更为出色呢？谁又能够用长篇大论把这种结合的所有部分，它的内在实质论述得像基督的下面这些话那样全面呢？基督说：

“我是真葡萄藤，我父是栽培的人。”（《约翰福音》第 15 章第 1 节）

“我是葡萄藤，你们是枝蔓。”（《约翰福音》第 15 章第 5 节）

如果枝蔓能有感觉的话，那么，它望着那照料它、仔细给它除草、把它牢牢绕在藤上、使它从中吸取养料和液汁而开出美丽花朵的园丁，该是多么高兴啊！

因此，在同基督的结合中，我们首先最用爱的眼神注视上帝，感到对他有一种最热忱的感激之情，心悦诚服地拜倒在他的面前。

在这之后，在一轮更加绚丽的太阳由于我们同基督结合为一体而为我们升起的时候，在我们充分地感觉到自己的卑贱，同时又为自己得到拯救而欢呼的时候，我们才会爱上那位先前我们认为是受辱的主宰者，而现在看来却是宽宏大量的父亲、善良的教导者的上帝。

但是，葡萄枝蔓不仅会仰望栽种葡萄的人；如果它能有感觉的话，它会紧紧贴在藤上，它会感觉到自己与葡萄藤和长在藤上的其他葡萄枝蔓最紧密地联结在一起；它会爱其他枝蔓，因为是同一个栽种葡萄的人照料着它们，是同一个藤身给它们以力量。

因此，同基督结合为一体，就是同基督实现最密切和最生动的精神交融，我们眼睛看到他，心中想着他，而且由于我们对他满怀最崇高的爱，我们同时也就把自己的心向着我们的弟兄们，因为基督将他们和我们紧密联结在一起，并且他也为他们而牺牲自己。

但是，这种对基督的爱不是徒劳的，这种爱不仅使我们对基督满怀最纯洁的崇敬和爱戴，而且使我们遵从他的命令，彼此为对方作出牺牲，做一个有德行的人，但只是出于对他的爱而做一个有德行的人。(《约翰福音》第15章第9、10、12、13和14节)

这就是使基督教的德行与任何别的德行区别开来，并使它超越于任何别的德行之上的一条鸿沟，这就是使人同基督结合为一体的最伟大的作用之一。

在这里，德行已经不是斯多亚派哲学所描绘的那种阴暗的讽刺画；它也不是我们在一切信奉异教的民族那里所遇到的那种关于义务的严峻学说的产物，一切德行都是出于对基督的爱，出于对神的爱，正因为出于这种纯洁的根源，德行才摆脱了一切世俗的东西而成为真正神性的东西。任何令人讨厌的方面都隐匿不见了，一切世俗的东西都沉没了，所有粗野的东西都消失了，德行变得更加超凡脱俗，同时也变得更加温和、更近人情。

人的理性从来也无法这样来描述德行；它的德行本来总是有局限性的，总是世俗的德行。

一个人一旦达到这种德行，这样同基督结合为一体，他就将平静而沉着地迎接命运的打击，勇敢地抗御各种激情的风暴，无畏地忍受恶的盛怒，因为谁能征服他，谁能夺走他的救世主呢？

他知道，他所祈求的东西将会得到，因为他只是在同基督结合为一体时发出祈求的，所以，他所祈求的只是神性的东西，而救世主自己作出的许诺难道还不能使人变得高尚并得到安慰吗？（《约翰福音》第 15 章第 7 节）

既然谁都知道，由于他在基督里面，他的所作所为表现了对上帝本身的崇敬，他的完美无缺会使造物主变得崇高，谁会不甘愿去忍受苦难呢？（《约翰福音》第 15 章第 8 节）

因此，同基督结合为一体可使人内心变得高尚，在苦难中得到安慰，有镇定的信心和一颗不是出于爱好虚荣，也不是出于渴求名望，而只是为了基督而向博爱和一切高尚而伟大的事物敞开的心。可见，同基督结合为一体会使人得到一种快乐，这种快乐是伊壁鸠鲁主义者在其肤浅的哲学中，比较深刻的思想家在知识的极其隐秘的深处企图获得而又无法获得的，这种快乐只有同基督并且通过基督同上帝结合在一起的天真无邪的童心，才能体会得到，这种快乐会使生活变得更加美好和崇高。（《约翰福音》第15章第11节）

卡尔·马克思大约写于1835年8月10日

第一次用德文发表于《社会主义和工人运动史文库》1925年莱比锡版第11年卷

原文是德文中文根据《马克思恩格斯全集》1975年历史考证版第一部分第1卷翻译

链接二：德语作文

青年在选择职业时的考虑[①]

卡尔·马克思的中学考试德语作文

自然本身给动物规定了它应该遵循的活动范围，动物也就安分地在这个范围内活动，而不试图越出这个范围，甚至不考虑有其他范围存在。神也给人指定了共同的目标——使人类和他自己趋于高尚，但是，神要人自己去寻找可以达到这个目标的手段；神让人在社会上选择一个最适合于他、最能使他和社会变得高尚的地位。

这种选择是人比其他创造物远为优越的地方，但同时也是可能毁灭人的一生、破坏他的一切计划并使他陷于不幸的行为。因此，认真地权衡这种选择，无

① 《马克思恩格斯全集》第 1 卷，人民出版社 1995 年版，第 455—460 页。

疑是开始走上生活道路而又不愿在最重要的事情上听天由命的青年的首要责任。

每个人眼前都有一个目标，这个目标至少在他本人看来是伟大的，而且如果最深刻的信念，即内心深处的声音，认为这个目标是伟大的，那它实际上也是伟大的，因为神决不会使世人完全没有引导者；神轻声地但坚定地作启示。

但是，这声音很容易被淹没；我们认为是热情的东西可能倏忽而生，同样可能倏忽而逝。也许，我们的幻想蓦然迸发，我们的感情激动起来，我们的眼前浮想联翩，我们狂热地追求我们以为是神本身给我们指出的目标；但是，我们梦寐以求的东西很快就使我们厌恶，于是，我们便感到自己的整个存在遭到了毁灭。

因此，我们应当认真考虑：我们对所选择的职业是不是真的怀有热情？发自我们内心的声音是不是同意选择这种职业？我们的热情是不是一种迷误？我们认为是神的召唤的东西是不是一种自我欺骗？不过，如果不对热情的来源本身加以探究，我们又怎么能认清这一切呢？

伟大的东西是闪光的，闪光会激发虚荣心，虚荣心容易使人产生热情或者一种我们觉得是热情的东西；但是，被名利迷住了心窍的人，理性是无法加以约束的，于是他一头栽进那不可抗拒的欲念召唤他去的地方；他的职业已经不再是由他自己选择，而是由偶然机会和假象去决定了。

我们的使命绝不是求得一个最足以炫耀的职业，因为它不是那种可能由我们长期从事，但始终不会使我们感到厌倦、始终不会使我们劲头低落、始终不会使我们的热情冷却的职业，相反，我们很快就会觉得，我们的愿望没有得到满足，我们的理想没有实现，我们就将怨天尤人。

但是，不仅虚荣心能够引起对某种职业的突然的热情，而且我们也许会用自己的幻想把这种职业美化，把它美化成生活所能提供的至高无上的东西。我们没有仔细分析它，没有衡量它的全部分量，即它加在我们肩上的重大责任；我们只是从远处观察它，而从远处观察是靠不住的。

在这里，我们自己的理性不能给我们充当顾问，因为当它被感情欺骗，受幻想蒙蔽时，它既不依靠经验，也不依靠更深入的观察。然而，我们的目光应该投向谁呢？当我们丧失理性的时候，谁来支持我们呢？

是我们的父母，他们走过了漫长的生活道路，饱尝了人世辛酸。——我们的心这样提醒我们。

如果我们经过冷静的考察，认清了所选择的职业的全部分量，了解它的困难以后，仍然对它充满热情，仍然爱它，觉得自己适合于它，那时我们就可以选择它，那时我们既不会受热情的欺骗，也不会仓促从事。

但是，我们并不总是能够选择我们自认为适合的职业；我们在社会上的关系，还在我们有能力决定它们以前就已经在某种程度上开始确立了。

我们的体质常常威胁我们，可是任何人也不敢藐视它的权利。

诚然，我们能够超越体质的限制，但这么一来，我们也就垮得更快；在这种情况下，我们就是冒险把大厦建筑在残破的废墟上，我们的一生也就变成一场精神原则和肉体原则之间的不幸的斗争。但是，一个不能克服自身相互斗争的因素的人，又怎能抗御生活的猛烈冲击，怎能安静地从事活动呢？然而只有从安静中才能产生出伟大壮丽的事业，安静是唯一能生长出成熟果实的土壤。

尽管我们由于体质不适合我们的职业，不能持久地工作，而且很少能够愉快地工作，但是，为了恪尽职守而牺牲自己幸福的思想激励着我们不顾体弱去努力工作。如果我们选择了力不胜任的职业，那么我们决不能把它做好，我们很快就会自愧无能，就会感到自己是无用的人，是不能完成自己使命的社会成员。由此产生的最自然的结果就是自卑。还有比这更痛苦的感情吗？还有比这更难于靠外界的各种赐予来补偿的感情吗？自卑是一条毒蛇，它无尽无休地搅扰、啃啮我们的胸膛，吮吸我们心中滋润生命的血液，注入厌世和绝望的毒液。

如果我们错误地估计了自己的能力，以为能够胜任经过较为仔细地考虑而选定的职业，那么这种错误将使我们受到惩罚。即使不受到外界的指责，我们也会感到比外界指责更为可怕的痛苦。

如果我们把这一切都考虑过了，如果我们的生活条件容许我们选择任何一种职业，那么我们就可以选择一种使我们获得最高尊严的职业，一种建立在我们深信其正确的思想上的职业，一种能给我们提供最广阔的场所来为人类工作，并使我们自己不断接近共同目标即臻于完美境界的职业，而对于这个共同目标来说，任何职业都只不过是一种手段。

尊严是最能使人高尚、使他的活动和他的一切努力具有更加崇高品质的东西，是使他无可非议、受到众人钦佩并高出于众人之上的东西。

但是，能给人以尊严的只有这样的职业，在从事这种职业时我们不是作为奴隶般的工具，而是在自己的领域内独立地进行创造；这种职业不需要有不体面的行动（哪怕只是表面上不体面的行动），甚至最优秀的人物也会怀着崇高的自豪感去从事它。最合乎这些要求的职业，并不总是最高的职业，但往往是最可取的职业。

但是，正如有失尊严的职业会贬低我们一样，那种建立在我们后来认为是错误的思想上的职业也一定会成为我们的沉重负担。

这里，我们除了自我欺骗，别无解救办法，而让人自我欺骗的解救办法是多么令人失望啊！

那些主要不是干预生活本身，而是从事抽象真理的研究的职业，对于还没有确立坚定的原则和牢固的、不可动摇的信念的青年是最危险的，当然，如果这些职业在我们心里深深地扎下了根，如果我们能够为它们的主导思想而牺牲生命、竭尽全力，这些职业看来还是最高尚的。

这些职业能够使具有合适才干的人幸福，但是也会使那些不经考虑、凭一时冲动而贸然从事的人毁灭。

相反，重视作为我们职业的基础的思想，会使我们在社会上占有较高的地位，提高我们自己的尊严，使我们的行为不可动摇。一个选择了自己所珍视的职业的人，一想到他可能不称职时就会战战兢兢——这种人单是因为他在社会上所处的地位是高尚的，他也就会使自己的行为保持高尚。

在选择职业时，我们应该遵循的主要指针是人类的幸福和我们自身的完美。不应认为，这两种利益会彼此敌对、互相冲突，一种利益必定消灭另一种利益；相反，人的本性是这样的：人只有为同时代人的完美、为他们的幸福而工作，自己才能达到完美。如果一个人只为自己劳动，他也许能够成为著名的学者、伟大的哲人、卓越的诗人，然而他永远不能成为完美的、真正伟大的人物。

历史把那些为共同目标工作因而自己变得高尚的人称为最伟大的人物；经验赞美那些为大多数人带来幸福的人是最幸福的人；宗教本身也教诲我们，人人敬仰的典范，就曾为人类而牺牲自己——有谁敢否定这类教诲呢?

如果我们选择了最能为人类而工作的职业，那么，重担就不能把我们压倒，因为这是为大家作出的牺牲；那时我们所享受的就不是可怜的、有限的、自私的乐趣，我们的幸福将属于千百万人，我们的事业将悄然无声地存在下去，但是它会永远发挥作用，而面对我们的骨灰，高尚的人们将洒下热泪。

卡尔·马克思写于1835年8月12日

第一次用德文发表于《社会主义和工人运动史文库》1925年莱比锡版第11卷，署名：马克思

原文是德文中文根据《马克思恩格斯全集》1975年历史考证版第一部分第1卷翻译

链接三：拉丁语作文

奥古斯都的元首政治应不应当算是罗马国家较幸福的时代？[①]

卡尔·马克思的中学考试拉丁语作文

要想研究奥古斯都时代是怎样一个时代，有几种可以用来对此作出判断的方法：首先，可以把它同罗马历史上的其他时期加以对比，因为如果指出奥古斯都时代同那些人们称之为幸福时代的先前时代相似，而同那些在同时代人和现代人看来风尚已经变坏、国家四分五裂并在战争中遭到多次失败的时代不相似，那么根据这些时代即可以对奥古斯都时代作出结论；其次，需要研究古代人们对这个时代作了哪些评价，异国人对这个帝国是怎么看的，他们是否害怕

① 《马克思恩格斯全集》第1卷，人民出版社1995年版，第461—465页。

它或者轻视它；最后，还得研究各种技艺和科学的状况如何。

为了避免不必要的赘述，我将把奥古斯都以前最美好的时代，即由于风尚纯朴、积极进取、官吏和人民公正无私而成为幸福时代的、征服了下意大利的时代，再把尼禄时代即最坏的时代同奥古斯都时代加以对比。

罗马人在任何一个时代都不像在布匿战争前的那个时代那样对从事各种艺术感到如此厌恶，那时教育几乎根本不受重视，因为那时最卓越的人们辛勤努力从事的是农业；那时论辩术是多余的，因为人们对应该做些什么用不了几句话即可表明。谈吐也不要求文雅，只注重说话的内容；当时历史不需要论辩术，它只是叙述事实，完全是一些编年记载。

可是，这整个时代充满着贵族和平民之间的斗争，因为从赶走诸王直到第一次布匿战争，一直进行着关于他们双方权利的争论，而大部分历史叙述的只是护民官或执政官以巨大的热情在他们双方之中实施的法律。

关于这个时代值得称颂的地方，我们已讲过了。

至于尼禄时代，不需要用很多的话来描述，因为既然那时最优秀的公民被杀害，到处专横肆虐，法律受到破坏，罗马城遭到焚毁，而统帅们由于担心他们的功业可能引起怀疑，还由于没有任何东西能够推动他们去建立伟大业绩，便宁可在和平中而不在战争中去寻求功名，那么，这是怎样一个时代，还有谁不清楚呢?

奥古斯都时代与这个时代不同，是谁都不能怀疑的，因为他的统治以温和著称。由于元首下令改变了机构和法律，往昔为护民官、监察官和执政官所拥有的一切权力和荣誉都转入了一人之手，所以各种自由，甚至自由的任何表面现象全都消失了，尽管如此，罗马人还是认为，是他们在进行统治，而“皇帝”一词只不过是先前护民官和执政官所担任的那些职位的另一种名称罢了，他们没有觉得他们的自由受到了剥夺。如果公民们能对谁是元首，对是他们自己在进行统治还是在被人统治表示怀疑，那么难道这不是温和治国的一个无可置疑的明证吗?

而在战争中，罗马人从来没有如此走运过，因为在这个时期帕提亚人被征服了，坎塔布里亚人被打败了，勒戚亚人和温德利奇人被击溃了，而凯撒与之斗争但未能战胜的日耳曼人——罗马人最凶恶的敌人——虽然在个别战役中由于背叛、奸诈、英勇以及他们居住在森林中等原因而曾战胜过罗马人，但是由于奥古斯都授予了某些个人以罗马公民权，由于有经验丰富的统帅们指挥作战，加之日耳曼各部落本身之间产生了不和，结果日耳曼的许多部落的势力总的来说是被摧毁了。

因此，无论在战争中，还是在和平时期，都不能把奥古斯都时代同尼禄和那些更坏的统治者的时代相比拟。

至于布匿战争以前的时代里发生的那些派别纷争，也都终止了，因为正如我们所见到的，奥古斯都已把所有的派别、一切头衔、全部的权力都集中到了他自己一个人身上，因而最高权力本身不会发生矛盾，否则会给任何一个国家带来最大的危险，因为那样一来奥古斯都的威望在异国民族的眼里就会下降，从事国家事务更多的是为了贪图个人私利，而不是为人民谋福利。

但是，奥古斯都时代不应该受到我们的过分赞扬，以致我们看不到它在许多方面都不如布匿战争以前的时代。因为，如果一个时代的风尚、自由和优秀品质受到损害或者完全衰落了，而贪婪、奢侈和放纵无度之风却充斥泛滥，那么这个时代就不能称为幸福时代；但是，奥古斯都的统治，他为改善动荡的国家状况而选拔的人们所建立的机构和制订的法律，对于消除内战造成的混乱起了很大的作用。

例如，我们看到，奥古斯都清除了元老院中犯罪行为的痕迹，因为元老院中混进了一些极其腐败的人，他从该院中清洗了许多作风为他所憎恶的人，吸收了许多智勇出众的人。

在奥古斯都的元首政治时期，担任国家职务的都是些英勇和智谋卓著的人物，因为在这个时代里难道还能说出比梅采纳斯和阿格利巴更为出色的人！虽然我们看到，元首也绝非没有虚夸矫饰的行为，但是，如前所说，看来他并不滥施暴力，并且没有给可憎恨的权力披上温和的外衣。如果说有一个布匿战争以前产生的国家曾经是最适合它那个时代的国家，因为它唤起了人们去建立伟大的业绩，造就了一些使敌人感到惧怕的人物，并号召在贵族与平民之间展开良好的竞赛（诚然，这种竞赛并不是全然没有忌妒心的），那么，我认为，奥古斯都所建立的国家则是最适合他那个时代的国家。因为当人们变得柔弱，纯朴风尚消失，而国家的疆土日益扩大的时候，独裁者倒可能比自由的共和政体更好地保障人民的自由。

现在我们来谈谈古代人是怎样评价奥古斯都时代的。

他们称他为神圣的，认为他与其说是人，还不如说是神。如果只是贺拉斯一个人这么说，那是可以不信的。但是，就连杰出的历史编纂学家塔西佗也总是以最大的尊敬、最高的赞赏，甚至以爱戴的感情来评价奥古斯都和他的时代。

至于各种科学和技艺，任何一个时期也没有这样繁荣过；在这个时代生活过许多作家，他们的作品成了几乎所有民族从中汲取教益的源泉。

因此，既然国家看来治理得不错，元首愿为人民造福，并且最杰出的人们根据他的倡议担任了国家职务；既然奥古斯都时代并不逊于罗马历史上最好的时代，并且看来它有别于那些坏的时代；既然我们看到派别纷争已经终止，而各种技艺和科学繁荣昌盛，——那么，由于这一切，奥古斯都的元首政治应该算是最好的时代，同时应当指出，那位尽管有条件为所欲为，但在获得权力之后却一心只想拯救国家的人，是应当受到很大的尊敬的。

卡尔·马克思写于1835年8月15日

第一次用德文发表于《社会主义和工人运动史文库》1925年莱比锡版第11年卷

原文是拉丁文中文根据《马克思恩格斯全集》1975年历史考证版第1部分第1卷翻译

链接四:

人　生[①]

时光倏忽即逝，
宛如滔滔流水；
时光带走的一切，
永远都不会返回。

生就是死，
生就是不断死亡的过程；
人们奋斗不息，
却难以摆脱困顿；

① 《马克思恩格斯全集》第 1 卷，人民出版社 1995 年版，第 915—916 页。

人走完生命的路，
最后化为乌有；
他的事业和追求
湮没于时光的潮流。

对于人的事业，
精灵们投以嘲讽的目光；
因为人的渴望是那样强烈，
而人生道路是那样狭窄迷茫；
人在沾沾自喜之后，
便感到无穷的懊丧；
那绵绵不尽的悔恨
深藏在自己的心房；

人贪婪追求的目标
其实十分渺小；
人生内容局限于此，
那便是空虚的游戏。

有人自命不凡，

其实并不伟大；
这种人的命运，
就是自我丑化。

卡尔·马克思

链接五：

查理大帝[1]

使一个高贵心灵深受感动的一切，
使所有美好心灵欢欣鼓舞的一切，
如今已蒙上漆黑的阴影，
野蛮人的手亵渎了圣洁光明。

巍巍格拉亚山的崇高诗人，
曾满怀激情把那一切歌颂，
激越的歌声使那一切永不磨灭，
诗人自己也沉浸在幸福欢乐之中。

高贵的狄摩西尼热情奔放，
曾把那一切滔滔宣讲，

① 《马克思恩格斯全集》第 1 卷，人民出版社 1995 年版，第 916—918 页。

面对人山人海的广场，
演讲者大胆嘲讽高傲的菲力浦国王。

那一切就是崇高和美，
那一切笼罩着缪斯的神圣光辉，
那一切使缪斯的子孙激动陶醉，
如今却被野蛮人无情地摧毁。
这时查理大帝挥动崇高魔杖，
呼唤缪斯重见天光；
他使美离开了幽深的墓穴，
他让一切艺术重放光芒。

他改变陈规陋习，
他发挥教育的神奇力量；
民众得以安居乐业，
因为可靠的法律成了安全的保障。

他进行过多次战争，
杀得尸横遍野血染疆场；
他雄才大略英勇顽强，
但辉煌的胜利中也隐含祸殃；

他为善良的人类赢得美丽花冠，
这花冠比一切战功都更有分量；
他战胜了那个时代的蒙昧，
这就是他获得的崇高奖赏。

在无穷无尽的世界历史上，
他将永远不会被人遗忘，
历史将为他编织一顶桂冠，
这桂冠决不会淹没于时代的激浪。

卡尔·马克思于 1833 年

参考文献

1. [德]弗·梅林:《马克思传》,樊集译,持平校,人民出版社1965年版。

2. [英]戴维·麦克莱伦:《马克思传》,王珍译,中国人民大学出版社2006年版。

3. [法]奥古斯特·科尔纽:《马克思恩格斯传》第1卷,刘丕坤等译,生活·读书·新知三联书店1963年版。

4. [日]城塚登:《青年马克思的思想——社会主义思想的创立》,尚晶晶等译,求实出版社1988年版。

5. [俄]弗·阿多拉茨基:《马克思年表(1818—1883)》,张惠卿译,人民出版社1982年版。

6. 刘文艺:《启蒙的理性主义与浪漫的理想主义——论学院时期马克思两个思想趋向的生成及其意义》,载《内蒙古大学学报》(哲学社会科学版)2004年第9期。

7. 顾海良:《马克思主义发展史》,中国人民大学出版社2009年版。

8. 高放:《马克思主义与社会主义新论》,黑龙江人民出版社2012年版。

9. 孙熙国:《马克思主义基本原理的学科对象与整体架构》,载《马克思主义研究》2012年第2期。

10. 聂锦芳：《神性背景下的人生向往与历史观照——马克思中学文献解读》，载《求是学刊》2004 年第 2 期。
11. 刘乃勇：《马克思的思想原点——马克思特里尔时期文本新解读》，载《江汉论坛》2010 年第 2 期。
12.《马克思恩格斯全集》第 1 卷，人民出版社 1995 年版。
13.《列宁全集》第 1 卷，人民出版社 1984 年版。
14. [英] 戴维 · 麦克莱伦：《马克思主义以前的马克思》，李兴国等译，社会科学文献出版社 1992 年版。
15. 都岩：《康德—费希特哲学对马克思学生时期思想发展的影响》，载《马克思主义与现实》2014 年第 2 期。
16. 张一兵：《青年马克思早期哲学视界中的主体辩证法》，载《河北学刊》1995 年第 2 期。
17. 李培超：《马克思早期伦理思想探析》，载《伦理学研究》2010 年第 2 期。
18. 吴苑华：《马克思中学时代的生活伦理思想》，载《华侨大学学报》(哲学社会科学版) 2008 年第 2 期。
19. 李士菊、郝瑞斌等：《学生时代马克思宗教思想的变化——从〈中学毕业作文〉到〈博士论文〉》，载《河北师范大学学报》(哲学社会科学版) 2001 年第 2 期。
20. 秦佳：《找寻马克思宗教思想的演进轨迹》，载《南通职业大学学报》(综合版) 2002 年第 1 期。
21. 徐耀新：《马克思学生时代的思想演变》，载《南京师大学报》(社会科学版)1983 年第 7 期。

22. 王珍:《试论青年马克思从有神论到无神论的思想转变》,载《世界宗教文化》2010 年第 6 期。

23. 陈玉君、黄利秀等:《青年马克思的价值理想及对当代青年的启示——读〈青年在选择职业时的考虑〉》,载《前沿》2011 年第 9 期。

24. 刘长庚:《马克思特里尔时期的思想状况研究及其当代意义》,载《理论界》2014 年第 5 期。

25. 聂锦芳:《马克思的"新哲学"——原型与流变》,中国社会科学出版社 2013 年版。

26. 黄楠森、庄福龄、林利:《马克思主义哲学史》,人民出版社 2005 年版。